POÈMES SATURNIENS

Suivi de

FÊTES GALANTES

PAUL VERLAINE

Poèmes saturniens

suivi de

Fêtes galantes

PRÉFACE DE LÉO FERRÉ
NOTES DE JACQUES BOREL

LE LIVRE DE POCHE

PRÉFACE

LES *oiseaux que l'on regarde, à la mer, à l'abri d'une vitre, font des signes désespérés, du moins nous les croyons tels, car la matière qu'il y a entre nous et eux favorise la dissertation et le songe, et nous désirons voir, dans leur géométrie alimentaire ou simplement discursive, une oraison, un doute, une histoire. Le désespoir des grands oiseaux marins est pareil à celui des poètes. Trop loin de nous, dans un azur que nous touchons du doigt et de la pensée, ils ont l'air de n'ÊTRE que pour nous, pour notre sieste, nos bavardages, notre méditation. Rien n'existe en poésie que ce qu'on veut bien y apporter. La musique des vers comme celle des battements d'ailes est tributaire de l'instant. L'oiseau est prisonnier de son vol. Le poète l'est du sien, je veux dire d'une orthographe, d'une prosodie, d'un rythme. L'Art est une prison sans barreaux dont on ne s'évade point : le spleen est un geôlier, la douleur un brouet de larmes, la technique des fers de dentelles. Lire les Saturniens et les Fêtes galantes cela veut dire : soulever un voile et regarder une ombre qui vous exécute. Le bourreau est bien celui que l'on croit enchaîné, il vous pénètre, vous ensorcelle, vous plie. O la Grande Misère du lecteur assidu et qui retourne à la drogue, à l'heure du « manque » et qui sait bien que ses voix chères ne se tairont jamais, les voix du chevet, sous la lampe camarade, au bout d'une éphéméride trompeuse.*

Le poète est un ingénieur du mot, un patient aussi qui sait souffrir sous la phrase. Dire que Verlaine a innové et souffert en poétique est un truisme. Villon, Ronsard, Racine, Hugo, Baudelaire ont innové et souffert de même. Ils ont donné aux paroles une assise, une vocation, un bien-être dont nous nous émerveillons jour après jour, quand elles coulent entre nos dents. Les techniques étaient éprouvées dès la fin du Moyen Age : plus rien n'est à inventer, tout est à dire...

Lorsque Verlaine éditait à compte d'auteur les Poèmes saturniens, *il n'était pas Verlaine, mais un homme-écrivain qui sonnait une heure décisive, quelque part, cette heure que nous revivons aujourd'hui, derrière la vitre d'une* n^{ieme} *édition. Verlaine c'était déjà l'Autre, le poète c'est les autres, c'est l'avenir. Le poète écrit de*

*l'autre côté de la vie, avant la vie. Il est entre deux stades.
Il est à cloche-pied : l'un rivé à terre, l'autre dans un uni-
vers non gravité, et pour l'approcher, il faut nous dému-
nir de notre carcasse d'homme, sinon la pesanteur nous
dément et nous éloigne de lui.*

*Verlaine, dans les dernières années de sa vie, avait un
bâton qui conversait lourdement avec des ombres, au ras
du sol. Il savait qu'il piochait dans un no man's land
bizarre et qu'il avait une jambe malade dans la tête. A
défaut d'ailes coupées, il donnait le change et boitait...
Un poète, ça boite toujours un peu.*

*La situation littéraire de Verlaine est branchée sur le
fait divers. Cela est inconcevable, mais derrière chacun
de ses vers la critique fait besogne de voyeur. Derrière les
paroles qu'il a travesties on voit Lucien Viotti ou Rimbaud, ou Lettinois, on nous les montre. Le critique s'y
pourlèche et le lecteur, d'abord inquiet, se désespère et
finit par lâcher prise. A croire que l'histoire littéraire
sacrifie à cette mythologie contemporaine de l'alcôve qui
fait vivre certains journalistes tapis sur les descentes de
lit ou l'œil borgne fouinant le trou de serrure. On en
a trop dit : Savoir ce qu'il a vécu de drames, de hontes,
de repentirs ineptes, sur une route verte d'absinthe et
d' « espère », comme il l'a écrit, savoir qu'il a traîné son
ombre gigantesque et titubante sur ce qui s'est fait de*

mieux en poésie à la fin du XIXe siècle — et cela pour
quelques initiés, tel Mallarmé qui l'admira beaucoup —,
savoir tout cela, son divorce poussif y compris, et
Bruxelles, et sa mère mi-complaisante, mi-résignée, et la
vieille Krantz, savoir tout de l'anecdote, du ragot, et faire
le point, et dire qu'il est un des plus grands poètes fran-
çais, ni parnassien, ni symboliste, ni rien dont on puisse
retrouver des accents dans la poétique actuelle, savoir
aussi qu'en 1960 il a « l'inflexion des voix chères qui se
sont tues » et qui ne se taisent pas si tel est notre vouloir
de l'œil et de l'âme, et qu'aucun artisan du poème « en
forme » ne peut écrire sans en référer à ce pauvre Lélian,
savoir tout de l'inutile et pénétrer dans le « vierge et le
vivace » de son vers, voilà bien de quoi nous déconcerter
et ranimer en même temps la flamme du lecteur assoupi
et paresseux.

Il a pris le vers français à la sortie des Fleurs du Mal
et l'a planté dans notre siècle. On dirait que Verlaine
s'est penché avec sa plume au bout d'un XIXe essoufflé,
et qu'il a lancé son généreux venin, comme un athlète
lance le javelot vers ce qu'il croit être l'au-delà du
stade.

Le poète croit toujours en un au-delà littéraire. Je ne
parle pas de postérité — la postérité encombre les ma-
nuels du bachot — mais d'un possible spatial, d'un

« *music-land* » *où les mots ni les sons ne se différencient,
où s'étalent en une brume liante les mets les plus déli-
cats de l'âme. Les âmes mangent, quelque part, des
miettes de beauté. La seule vertu de la poésie est d'extra-
vaguer à la recherche de l'ovule... Faire rêver « les cervelles humaines », tel fut le vœu de Baudelaire, tel est
l'objectif de chaque poète, tel est celui de Verlaine certes,
dans ce livre « saturnien » et « galant » qui s'ouvrira
comme une femme, si tu le veux, lecteur, si tu le
veux.*

*Le poète donne le charme. Au lecteur d'y prendre sa
pâture. Il n'y a jamais qu'une poésie et il y a mille façons
de la lire, de l'écouter sortir de la page typographiée et
chanter, si l'oiseau de l'œil sait accommoder. Il est des
heures propices où le plus désolé des Saturniens nous
empoigne, nous contourne, sans qu'il soit besoin d'insister
sur les intentions de Verlaine à tel moment de la composition, à tel autre de la mise en pages ou sur les données
astrologiques dont s'empare la critique littéraire lors-
qu'elle est désarmée.*

*Que m'importe si, au dire de l'ami Lepelletier, la plu-
part des Saturniens sont le fruit d'un lent et sérieux travail, sans aucune donnée anecdotique, que m'importent
les intéressantes démonstrations de Jacques-Henry Bornecque dans un livre complet et amical qu'il a écrit à*

*propos des Saturniens[1], qui tendent à me prouver qu'il
faut chercher la Femme et que, cherchant, il la trouve,
pauvre cousine Elisa Moncomble, morte jeune encore et
qui avait assumé les frais d'impression de l'ouvrage. On
sait ce que cela veut dire : le dédicataire fait souvent les
frais de la dédicace. Est-elle cette femme du Rêve familier? Il y a toujours, quelque part, une femme pour qui
écrit, pour qui sait lire. La femme est avant le poème, elle
coule dans les veines de l'artiste. Verlaine était andro-
gyne, il l'a clamé sur la place publique, et l'on ne se fait
pas faute de le rappeler à chaque coin de ligne le
concernant. Les autres poètes, tous les autres, sont aussi
des androgynes. La plupart en font secret : ils ont honte
de la Femme qu'ils portent en eux. Dans les Saturniens,
une femme veille :*

   *« Nous étions seul à seule et marchions en rêvant... »
Le poète devait promener son double ce jour-là, puisque, Lepelletier dixit ou à peu près, les Saturniens ne
sont qu'un exercice de style!*

   *Verlaine est entré dans la littérature en sublimant
Saturne. On sait, au reste, qu'en astrologie tout est minuté
et que l'âme est astreinte à la carte du ciel comme est
astreint l'automobiliste, dans une contrée mal connue,
à la carte routière. Sur la route-Verlaine il y avait*

---

1. J.-H. Bornecque : *Poèmes saturniens*, Paris, Nizet, 1952.

Saturne, du moins s'en était-il persuadé. Il n'a point dédaigné la « fauve planète », car « ceux-là qui sont nés sous (son) signe ont, entre tous,

« *Bonne part de malheur et bonne part de bile* »... *dit-il. Il s'y complaît. La complaisance dans le malheur est un signe évident dans la création artistique. Le malheur luit, devant soi, l'on s'y jette et l'on s'y damne. Il n'est de beauté que dans la tristesse, aussi diversement sexuée soit-elle... Verlaine était beau comme Saturne.*

« *Hypocrite lecteur — mon semblable, — mon frère!* » *disait Baudelaire, son bouquet de fleurs malades tout lié et prêt au sacrifice.*

« *Maintenant, va, mon Livre, où le hasard te mène* », *note Verlaine, et c'est le dernier vers du prologue des* Saturniens.

Qu'il y ait une rencontre d'intention, nul n'en peut douter, et ce qui est lucide et glacé chez l'un, fait place à un sentiment de démission chez l'autre, à un lâchage liminaire. C'est encore Saturne qui le met en cet état. L'homme prouvera tout au long d'une vie difficile que croire en un destin malheureux ou tragique, équivaut à faire soi-même ce destin, à s'y laisser murer. Baudelaire était de marbre. Verlaine variait avec la lune.

Si Les Fleurs du Mal *poussent encore au seuil des poésies verlainiennes, c'est que leur « rhétorique pro-*

fonde », comme on l'a dit, encombrait tout ce qui se fai-
sait dans les jardins tout proches d'elles. Comment
regarder un ciel malade, une femme furtive, comment
sentir un parfum lourd, comment être soi-même devant
la beauté cynique des « fleurs » de 1857, alors que l'on est
un jeune poète, dans la boutique des césures et de
l'hiatus, et de tout le reste des impératifs formels qui font
d'abord du poète un versificateur, un ouvrier. En prenant
le vers à la sortie des Fleurs du Mal *pour le lancer à nos*
figures, un peu du pollen baudelairien a saupoudré les
premiers vers de Lélian. Il plane ainsi, quelquefois, dans
les Saturniens *surtout, beaucoup plus que dans les* Fêtes
galantes, *l'ombre de 1857 dont les « soleils mouillés » se*
souviendront longtemps, même au-delà de Verlaine, dans
notre siècle. Le seul désespoir des soleils est bien cette
ombre qui les poursuit, comme le serpent d'Apollinaire.

Il n'est que de pénétrer dans les Saturniens *pour*
comprendre que le malheur est un engagement, que c'est
parfois un métier, puisque écrire est un métier et que
la page blanche accueille les comptes de blanchisseuse
aussi bien que l'hexamètre! La raison d'être du poète?
La voilà : la page blanche, la plume, le mot. Le reste est
anecdote. Il faut bien se résoudre à voir Verlaine, à un
certain moment, en marge de ses aventures et lissant ses
pensées, les polissant, oui, selon le docte Boileau, gratter

le manuscrit avec son âme et son cœur au bout de la main, avec aussi l'esprit critique, suprême solitude de l'artiste qui ne s'embarrasse plus du quotidien et qui travaille. Les techniques sont froides comme est froide la « Muse », invention idiote et qui justifie un certain laisser-aller dans l'habillement, une hâte à ne pas manger deux fois par jour comme tout le monde, et cet air évasif coulant des cheveux longs de ces personnages patibulaires qu'on dit « poètes », avec cette indifférence amusée qui les fait justement différer du commun. Ils s'habillent mal parce qu'ils n'ont pas d'argent, ils ont les cheveux longs parce que l'échoppe du coiffeur est un enfer imbécile. Le seul véritable problème du poète est le problème du style.

Le vers français a tout donné de ses possibilités de structures. La rime, qu'est-ce donc que la rime sinon ce mot borgne à la fin de la ligne et qui ne voit jamais que d'un seul côté? Le rythme? Qu'avons-nous à apprendre de neuf sur le rythme depuis les Grecs? La césure? L'enjambement?...

> *« Beaux enfants, vous perdez la plus*
> *Belle rose de vo chappeau;*
> *Mes clers pres prenans comme glus,*
> *Se vous alez a Montpipeau. »*

Villon était déjà dans l'escalier d'Hernani! Plus rien n'est à inventer... Tout est à dire.

Le style, c'est cette frange d'âme qui tient conseil avec le poète et qui fait « les sanglots longs des violons de l'automne ». Le style, c'est cette qualité profonde, imméritée, qui tranche sur l'humain et qui nous fait coudre des ailes aux bras des poètes. Le style, c'est :

« Votre âme est un paysage choisi. »

Le style, ça n'est pas d'avoir sous-titré de Melancholia, de Paysages tristes et de Caprices les poèmes enrobés de Saturne, le style ça n'est pas non plus l'ombre dix-huitième d'un Watteau littéraire et en mal de cimaise, le style c'est tout ce qui coule, sans un bruit inutile, comme une bénédiction :

« Et la nuit seule entendit leurs paroles. »

La vie de Verlaine est un malentendu. Homme il aima la Femme, femme il aima les hommes. Entre-temps, il écrivit. Le malentendu réside dans les stations entre les sexes. Si je rappelle ces détails biographiques, ce n'est que pour m'émerveiller de la duplicité, pour ne pas dire de la multiplicité. Mathilde, Rimbaud, Lettinois, la vieille Krantz : il commence par une pucelle et finit avec une putain hors métier. Entre-temps il aima, follement, et c'est cet Amour qui m'intéresse, cet Amour qui était pur, n'en déplaise aux spécialistes du détail piquant, des passions qui deviennent l' « ordure » dans le journal ou la revue, dans le lit aussi, quand les lampes s'allument pour les désordres de la nuit. Les poètes, quand ils vivent, on les bat, on les moque, on les met en prison. Quand ils sont morts, on fouille dans leur vie, de préférence avec un groin de cochon, on fouille du côté de ce que l'on a convenu d'appeler le « péché ». Verlaine, quelle cible merveilleuse pour ces soupeurs d'un genre spécial! On mange du Verlaine encore, dans la littérature où certains profs font des mines, et des « passons-là-dessus », et des et cætera où l'on s'attarde et dont on parle au café, après le cours, ou en petites notes et variantes à la fin du volume, en catimini, car il faut bien entretenir la flamme de l'irrespect et des « bonnes traditions ».

Ce livre que tu as entre les mains, lecteur, est une magie. Il a été écrit par un poète nommé Verlaine et dont il doit peu t'importer qu'il ait été ceci, cela, qu'il ait vécu ici ou là, qu'il ait ri, qu'il ait pleuré, qu'il ait grogné. Un poète, en définitive, ça grogne, et voilà qui dérange les « bonnes âmes ». Dans les grognements des poètes, comme dans ceux des chiens, il passe un peu de cette innocence qui remet en question notre condition d'homme, car, à la vérité, les poètes ne sont pas des hommes. Des anges?... Pourquoi pas? Les anges, par là-bas, couchent avec des anges, et l'on imagine qu'il n'est pas d'interdit dans ce pays où les étoiles n'ont pas de sexe, où les enfers n'ont plus de saisons, où l'anneau des fiançailles tourne la tête à Saturne.

LÉO FERRÉ.

POÈMES SATURNIENS

Les Sages d'autrefois, qui valaient bien ceux-ci,
Crurent, et c'est un point encor mal éclairci,
Lire au ciel les bonheurs ainsi que les désastres,
Et que chaque âme était liée à l'un des astres.
(On a beaucoup raillé, sans penser que souvent
Le rire est ridicule autant que décevant,
Cette explication du mystère nocturne.)
Or ceux-là qui sont nés sous le signe SATURNE,
Fauve planète, chère aux nécromanciens,
Ont entre tous, d'après les grimoires anciens,
Bonne part de malheur et bonne part de bile.
L'Imagination, inquiète et débile,
Vient rendre nul en eux l'effort de la Raison.
Dans leurs veines le sang, subtil comme un poison,
Brûlant comme une lave, et rare, coule et roule
En grésillant leur triste Idéal qui s'écroule.

Tels les Saturniens doivent souffrir et tels
Mourir, — en admettant que nous soyons mortels, —
Leur plan de vie étant dessiné ligne à ligne
Par la logique d'une Influence maligne.

P. V.

PROLOGUE

Dans ces temps fabuleux, les limbes de l'histoire,
Où les fils de Raghû, beaux de fard et de gloire,
Vers la Ganga régnaient leur règne étincelant,
Et, par l'intensité de leur vertu troublant
Les Dieux et les Démons et Bhagavat lui-même,
Augustes, s'élevaient jusqu'au Néant suprême,
Ah! la terre et la mer et le ciel, purs encor
Et jeunes, qu'arrosait une lumière d'or
Frémissante, entendaient, apaisant leurs murmures
De tonnerres, de flots heurtés, de moissons mûres,
Et retenant le vol obstiné des essaims,
Les Poètes sacrés chanter les Guerriers saints,
Cependant que le ciel et la mer et la terre
Voyaient — rouges et las de leur travail austère —
S'incliner, pénitents fauves et timorés,
Les Guerriers saints devant les Poètes sacrés!
Une connexité grandiosement calme
Liait le Kchatrya serein au Chanteur alme,

Valmiki l'excellent à l'excellent Rama :
Telles sur un étang deux touffes de padma.

— Et sous tes cieux dorés et clairs, Hellas antique,
De Sparte la sévère à la rieuse Attique,
Les Aèdes, Orpheus, Alkaïos, étaient
Encore des héros altiers et combattaient.
Homéros, s'il n'a pas, lui, manié le glaive,
Fait retentir, clameur immense qui s'élève,
Vos échos jamais las, vastes postérités,
D'Hektôr et d'Odysseus, et d'Akhilleus chantés.
Les héros à leur tour, après les luttes vastes,
Pieux, sacrifiaient aux neuf Déesses chastes,
Et non moins que de l'art d'Arès furent épris
De l'Art dont une Palme immortelle est le prix,
Akhilleus entre tous! Et le Laërtiade
Dompta, parole d'or qui charme et persuade,
Les esprits et les cœurs et les âmes toujours,
Ainsi qu'Orpheus domptait les tigres et les ours.
— Plus tard, vers des climats plus rudes, en des ères
Barbares, chez les Francs tumultueux, nos pères,
Est-ce que le Trouvère héroïque n'eut pas
Comme le Preux sa part auguste des combats?
Est-ce que, Théroldus ayant dit Charlemagne,
Et son neveu Roland resté dans la montagne,

Et le bon Olivier de Turpin au grand cœur,
En beaux couplets et sur un rhythme âpre et vainqueur,
Est-ce que, cinquante ans après, dans les batailles,
Les durs Leudes perdant leur sang par vingt entailles,
Ne chantaient pas le chant de geste sans rivaux
De Roland et de ceux qui virent Roncevaux
Et furent de l'énorme et superbe tuerie,
Du temps de l'Empereur à la barbe fleurie?

— Aujourd'hui, l'Action et le Rêve ont brisé
Le pacte primitif par les siècles usé,
Et plusieurs ont trouvé funeste ce divorce
De l'Harmonie immense et bleue et de la Force.
La Force, qu'autrefois le Poète tenait
En bride, blanc cheval ailé qui rayonnait,
La Force, maintenant, la Force, c'est la Bête
Féroce bondissante et folle et toujours prête
A tout carnage, à tout dévastement, à tout
Egorgement, d'un bout du monde à l'autre bout!
L'Action qu'autrefois réglait le chant des lyres,
Trouble, enivrée, en proie aux cent mille délires
Fuligineux d'un siècle en ébullition,
L'Action à présent, — ô pitié! — l'Action,
C'est l'ouragan, c'est la tempête, c'est la houle
Marine dans la nuit sans étoiles, qui roule

Et déroule parmi les bruits sourds l'effroi vert
Et rouge des éclairs sur le ciel entr'ouvert?

— Cependant, orgueilleux et doux, loin des vacarmes
De la vie et du choc désordonné des armes
Mercenaires, voyez, gravissant les hauteurs
Ineffables, voici le groupe des Chanteurs
Vêtus de blanc, et des lueurs d'apothéoses
Empourprent la fierté sereine de leurs poses :
Tous beaux, tous purs, avec des rayons dans les yeux,
Et sous leur front le rêve inachevé des Dieux!
Le monde, que troublait leur parole profonde,
Les exile. A leur tour ils exilent le monde!
C'est qu'ils ont à la fin compris qu'il ne faut plus
Mêler leur note pure aux cris irrésolus
Que va poussant la foule obscène et violente,
Et que l'isolement sied à leur marche lente.
Le Poète, l'Amour du Beau, voilà sa foi,
L'Azur, son étendard, et l'Idéal, sa loi!
Ne lui demandez rien de plus, car ses prunelles,
Où le rayonnement des choses éternelles
A mis des visions qu'il suit avidement,
Ne sauraient s'abaisser une heure seulement
Sur le honteux conflit des besognes vulgaires
Et sur vos vanités plates; et si naguères

On le vit au milieu des hommes, épousant
Leurs querelles, pleurant avec eux, les poussant
Aux guerres, célébrant l'orgueil des Républiques
Et l'éclat militaire et les splendeurs auliques
Sur la kithare, sur la harpe et sur le luth,
S'il honorait parfois le présent d'un salut
Et daignait consentir à ce rôle de prêtre
D'aimer et de bénir, et s'il voulait bien être
La voix qui rit ou pleure alors qu'on pleure ou rit,
S'il inclinait vers l'âme humaine son esprit,
C'est qu'il se méprenait alors sur l'âme humaine.

— Maintenant, va, mon Livre, où le hasard te mène.

MELANCHOLIA

A Ernest Boutier.

RÉSIGNATION

Tout enfant, j'allais rêvant Ko-Hinnor,
Somptuosité persane et papale
Héliogabale et Sardanapale!

Mon désir créait sous des toits en or,
Parmi les parfums, au son des musiques,
Des harems sans fin, paradis physiques!

Aujourd'hui, plus calme et non moins ardent,
Mais sachant la vie et qu'il faut qu'on plie,
J'ai dû refréner ma belle folie,
Sans me résigner par trop cependant.

Soit! le grandiose échappe à ma dent,
Mais, fi de l'aimable et fi de la lie!
Et je hais toujours la femme jolie,
La rime assonante et l'ami prudent.

II

NEVERMORE

Souvenir, souvenir, que me veux-tu? L'automne
Faisait voler la grive à travers l'air atone,
Et le soleil dardait un rayon monotone
Sur le bois jaunissant où la bise détone.

Nous étions seul à seule et marchions en rêvant,
Elle et moi, les cheveux et la pensée au vent.
Soudain, tournant vers moi son regard émouvant :
« Quel fut ton plus beau jour? » fit sa voix d'or vivant,

Sa voix douce et sonore, au frais timbre angélique.
Un sourire discret lui donna la réplique,
Et je baisai sa main blanche, dévotement.

— Ah! les premières fleurs, qu'elles sont parfumées!
Et qu'il bruit avec un murmure charmant
Le premier *oui* qui sort de lèvres bien-aimées!

APRÈS TROIS ANS

Ayant poussé la porte étroite qui chancelle,
Je me suis promené dans le petit jardin
Qu'éclairait doucement le soleil du matin,
Pailletant chaque fleur d'une humide étincelle.

Rien n'a changé. J'ai tout revu : l'humble tonnelle
De vigne folle avec les chaises de rotin...
Le jet d'eau fait toujours son murmure argentin
Et le vieux tremble sa plainte sempiternelle.

Les roses comme avant palpitent; comme avant,
Les grands lys orgueilleux se balancent au vent,
Chaque alouette qui va et vient m'est connue.

Même j'ai retrouvé debout la Velléda,
Dont le plâtre s'écaille au bout de l'avenue,
— Grêle, parmi l'odeur fade du réséda.

VŒU

Ah! les oaristys! les premières maîtresses!
L'or des cheveux, l'azur des yeux, la fleur des chairs,
Et puis, parmi l'odeur des corps jeunes et chers,
La spontanéité craintive des caresses!

Sont-elles assez loin, toutes ces allégresses
Et toutes ces candeurs! Hélas! toutes devers
Le Printemps des regrets ont fui les noirs hivers
De mes ennuis, de mes dégoûts, de mes détresses!

Si que me voilà seul à présent, morne et seul,
Morne et désespéré, plus glacé qu'un aïeul,
Et tel qu'un orphelin pauvre sans sœur aînée.

O la femme à l'amour câlin et réchauffant,
Douce, pensive et brune, et jamais étonnée,
Et qui parfois vous baise au front, comme un enfant!

V

LASSITUDE

« A batallas de amor campo de pluma. »
GONGORA.

De la douceur, de la douceur, de la douceur!
Calme un peu ces transports fébriles, ma charmante.
Même au fort du déduit parfois, vois-tu, l'amante
Doit avoir l'abandon paisible de la sœur.

Sois langoureuse, fais ta caresse endormante,
Bien égaux tes soupirs et ton regard berceur.
Va, l'étreinte jalouse et le spasme obsesseur
Ne valent pas un long baiser, même qui mente!

Mais dans ton cher cœur d'or, me dis-tu, mon enfant,
La fauve passion va sonnant l'olifant!...
Laisse-la trompetter à son aise, la gueuse!

Mets ton front sur mon front et ta main dans ma main,
Et fais-moi des serments que tu rompras demain,
Et pleurons jusqu'au jour, ô petite fougueuse!

MON RÊVE FAMILIER

Je fais souvent ce rêve étrange et pénétrant
D'une femme inconnue, et que j'aime, et qui m'aime,
Et qui n'est, chaque fois, ni tout à fait la même
Ni tout à fait une autre, et m'aime et me comprend.

Car elle me comprend, et mon cœur transparent
Pour elle seule, hélas! cesse d'être un problème
Pour elle seule, et les moiteurs de mon front blême,
Elle seule les sait rafraîchir, en pleurant.

Est-elle brune, blonde ou rousse? — Je l'ignore.
Son nom? Je me souviens qu'il est doux et sonore
Comme ceux des aimés que la Vie exila.

Son regard est pareil au regard des statues,
Et, pour sa voix, lointaine, et calme, et grave, elle a
L'inflexion des voix chères qui se sont tues.

VII

A UNE FEMME

A vous ces vers, de par la grâce consolante
De vos grands yeux où rit et pleure un rêve doux,
De par votre âme pure et toute bonne, à vous
Ces vers du fond de ma détresse violente.

C'est qu'hélas! le hideux cauchemar qui me hante
N'a pas de trêve et va furieux, fou, jaloux,
Se multipliant comme un cortège de loups
Et se pendant après mon sort qu'il ensanglante!

Oh! je souffre, je souffre affreusement, si bien
Que le gémissement premier du premier homme
Chassé d'Eden n'est qu'une églogue au prix du mien

Et les soucis que vous pouvez avoir sont comme
Des hirondelles sur un ciel d'après-midi,
— Chère, — par un beau jour de septembre attiédi.

L'ANGOISSE

Nature, rien de toi ne m'émeut, ni les champs
Nourriciers, ni l'écho vermeil des pastorales
Siciliennes, ni les pompes aurorales,
Ni la solennité dolente des couchants.

Je ris de l'Art, je ris de l'Homme aussi, des chants,
Des vers, des temples grecs et des tours en spirales
Qu'étirent dans le ciel vide les cathédrales,
Et je vois du même œil les bons et les méchants.

Je ne crois pas en Dieu, j'abjure et je renie
Toute pensée, et quant à la vieille ironie,
L'Amour, je voudrais bien qu'on ne m'en parlât plus.

Lasse de vivre, ayant peur de mourir, pareille
Au brick perdu jouet du flux et du reflux,
Mon âme pour d'affreux naufrages appareille.

EAUX-FORTES

A François Coppée.

CROQUIS PARISIEN

La lune plaquait ses teintes de zinc
   Par angles obtus.
Des bouts de fumée en forme de cinq
Sortaient drus et noirs des hauts toits pointus.

Le ciel était gris. La bise pleurait
   Ainsi qu'un basson.
Au loin, un matou frileux et discret
Miaulait d'étrange et grêle façon.

Moi, j'allais, rêvant du divin Platon
   Et de Phidias,
Et de Salamine et de Marathon,
Sous l'œil clignotant des bleus becs de gaz.

CAUCHEMAR

J'ai vu passer dans mon rêve
— Tel l'ouragan sur la grève, —
D'une main tenant un glaive
Et de l'autre un sablier,
  Ce cavalier

Des ballades d'Allemagne
Qu'à travers ville et campagne,
Et du fleuve à la montagne,
Et des forêts au vallon,
  Un étalon

Rouge-flamme et noir d'ébène,
Sans bride, ni mors, ni rêre,
Ni hop! ni cravache, entraîne
Parmi des râlements sourds
  Toujours! Toujours!

Un grand feutre à longue plume
Ombrait son œil qui s'allume
Et s'éteint. Tel, dans la brume,
Eclate et meurt l'éclair bleu
  D'une arme à feu.

Comme l'aile d'une orfraie
Qu'un subit orage effraie,
Par l'air que la neige raie,
Son manteau se soulevant
  Claquait au vent,

Et montrait d'un air de gloire
Un torse d'ombre et d'ivoire,
Tandis que dans la nuit noire
Luisaient en des cris stridents
  Trente-deux dents.

III

MARINE

L'Océan sonore
Palpite sous l'œil
De la lune en deuil
Et palpite encore,

Tandis qu'un éclair
Brutal et sinistre
Fend le ciel de bistre
D'un long zigzag clair,

Et que chaque lame,
En bonds convulsifs,
Le long des récifs
Va, vient, luit et clame,

Et qu'au firmament,
Où l'ouragan erre,
Rugit le tonnerre
Formidablement.

IV

EFFET DE NUIT

La nuit. La pluie. Un ciel blafard que déchiquette
De flèches et de tours à jour la silhouette
D'une ville gothique éteinte au lointain gris.
La plaine. Un gibet plein de pendus rabougris
Secoués par le bec avide des corneilles
Et dansant dans l'air noir des gigues nonpareilles,
Tandis que leurs pieds sont la pâture des loups.
Quelques buissons d'épine épars, et quelques houx
Dressant l'horreur de leur feuillage à droite, à gauche,
Sur le fuligineux fouillis d'un fond d'ébauche.
Et puis, autour de trois livides prisonniers
Qui vont pieds nus, un gros de hauts pertuisaniers
En marche, et leurs fers droits, comme des fers de herse,
Luisent à contresens des lances de l'averse.

GROTESQUES

Leurs jambes pour toutes montures,
Pour tous biens l'or de leurs regards,
Par le chemin des aventures
Ils vont haillonneux et hagards.

Le sage, indigné, les harangue;
Le sot plaint ces fous hasardeux;
Les enfants leur tirent la langue
Et les filles se moquent d'eux.

C'est qu'odieux et ridicules,
Et maléfiques en effet,
Ils ont l'air, sur les crépuscules,
D'un mauvais rêve que l'on fait;

C'est que, sur leurs aigres guitares
Crispant la main des libertés,
Ils nasillent des chants bizarres,
Nostalgiques et révoltés;

C'est enfin que dans leurs prunelles
Rit et pleure — fastidieux —
L'amour des choses éternelles,
Des vieux morts et des anciens dieux!

— Donc, allez, vagabonds sans trêves,
Errez, funestes et maudits,
Le long des gouffres et des grèves,
Sous l'œil fermé des paradis!

La nature à l'homme s'allie
Pour châtier comme il le faut
L'orgueilleuse mélancolie
Qui vous fait marcher le front haut,

Et, vengeant sur vous le blasphème
Des vastes espoirs véhéments,
Meurtrit votre front anathème
Au choc rude des éléments.

Les juins brûlent et les décembres
Gèlent votre chair jusqu'aux os,
Et la fièvre envahit vos membres,
Qui se déchirent aux roseaux.

Tout vous repousse et tout vous navre,
Et quand la mort viendra pour vous,
Maigre et froide, votre cadavre
Sera dédaigné par les loups!

PAYSAGES TRISTES

A Catulle Mendès.

SOLEILS COUCHANTS

Une aube affaiblie
Verse par les champs
La mélancolie
Des soleils couchants.
La mélancolie
Berce de doux chants
Mon cœur qui s'oublie
Aux soleils couchants.
Et d'étranges rêves,
Comme des soleils
Couchants sur les grèves,
Fantômes vermeils,
Défilent sans trêves,
Défilent, pareils
A de grands soleils
Couchants sur les grèves.

CRÉPUSCULE DU SOIR MYSTIQUE

Le Souvenir avec le Crépuscule
Rougeoie et tremble à l'ardent horizon
De l'Espérance en flamme qui recule
Et s'agrandit ainsi qu'une cloison
Mystérieuse où mainte floraison
— Dahlia, lys, tulipe et renoncule —
S'élance autour d'un treillis, et circule
Parmi la maladive exhalaison
De parfums lourds et chauds, dont le poison
— Dahlia, lys, tulipe et renoncule —
Noyant mes sens, mon âme et ma raison
Mêle, dans une immense pâmoison,
Le Souvenir avec le Crépuscule.

PROMENADE SENTIMENTALE

Le couchant dardait ses rayons suprêmes
Et le vent berçait les nénuphars blêmes;
Les grands nénuphars, entre les roseaux,
Tristement luisaient sur les calmes eaux.
Moi, j'errais tout seul, promenant ma plaie
Au long de l'étang, parmi la saulaie
Où la brume vague évoquait un grand
Fantôme laiteux se désespérant
Et pleurant avec la voix des sarcelles
Qui se rappelaient en battant des ailes
Parmi la saulaie où j'errais tout seul
Promenant ma plaie; et l'épais linceul
Des ténèbres vint noyer les suprêmes
Rayons du couchant dans ces ondes blêmes
Et les nénuphars, parmi les roseaux,
Les grands nénuphars sur les calmes eaux.

NUIT DU WALPURGIS CLASSIQUE

C'est plutôt le sabbat du second Faust que l'autre,
Un rhythmique sabbat, rhythmique, extrêmement
Rhythmique. — Imaginez un jardin de Lenôtre,
    Correct, ridicule et charmant.

Des ronds-points; au milieu, des jets d'eau; des allées
Toutes droites; sylvains de marbre; dieux marins
De bronze; çà et là, des Vénus étalées;
    Des quinconces, des boulingrins;

Des châtaigniers; des plants de fleurs formant la dune;
Ici, des rosiers nains qu'un goût docte effila;
Plus loin, des ifs taillés en triangles. La lune
    D'un soir d'été sur tout cela.

Minuit sonne, et réveille au fond du parc aulique
Un air mélancolique, un sourd, lent et doux air
De chasse : tel, doux, lent, sourd et mélancolique,
      L'air de chasse de *Tannhäuser*.

Des chants voilés de cors lointains, où la tendresse
Des sens étreint l'effroi de l'âme en des accords
Harmonieusement dissonants dans l'ivresse;
      Et voici qu'à l'appel des cors

S'entrelacent soudain des formes toutes blanches,
Diaphanes, et que le clair de lune fait
Opalines parmi l'ombre verte des branches,
      — Un Watteau rêvé par Raffet! —

S'entrelacent parmi l'ombre verte des arbres
D'un geste alangui, plein d'un désespoir profond;
Puis, autour des massifs, des bronzes et des marbres,
      Très lentement dansent en rond.

— Ces spectres agités, sont-ce donc la pensée
Du poète ivre, ou son regret ou son remords,
Ces spectres agités en tourbe cadencée,
  Ou bien tout simplement des morts?

Sont-ce donc ton remords, ô rêvasseur qu'invite
L'horreur, ou ton regret, ou ta pensée, — hein? — tout
Ces spectres qu'un vertige irrésistible agite,
  Ou bien des morts qui seraient fous? —

N'importe! ils vont toujours, les fébriles fantômes,
Menant leur ronde vaste et morne et tressautant
Comme dans un rayon de soleil des atomes,
  Et s'évaporant à l'instant

Humide et blême où l'aube éteint l'un après l'autre
Les cors, en sorte qu'il ne reste absolument
Plus rien — absolument — qu'un jardin de Lenôtre,
  Correct, ridicule et charmant.

V

CHANSON D'AUTOMNE

Les sanglots longs
Des violons
  De l'automne
Blessent mon cœur
D'une langueur
  Monotone.

Tout suffocant
Et blême, quand
  Sonne l'heure,
Je me souviens
Des jours anciens
  Et je pleure;

Et je m'en vais
Au vent mauvais
  Qui m'emporte
Deçà, delà,
Pareil à la
  Feuille morte.

L'HEURE DU BERGER

La lune est rouge au brumeux horizon;
Dans un brouillard qui danse, la prairie
S'endort fumeuse, et la grenouille crie
Par les joncs verts où circule un frisson;

Les fleurs des eaux referment leurs corolles:
Des peupliers profilent aux lointains,
Droits et serrés, leurs spectres incertains;
Vers les buissons errent les lucioles;

Les chats-huants s'éveillent, et sans bruit
Rament l'air noir avec leurs ailes lourdes,
Et le zénith s'emplit de lueurs sourdes.
Blanche, Vénus émerge, et c'est la Nuit.

LE ROSSIGNOL

Comme un vol criard d'oiseaux en émoi,
Tous mes souvenirs s'abattent sur moi,
S'abattent parmi le feuillage jaune
De mon cœur mirant son tronc plié d'aune
Au tain violet de l'eau des Regrets,
Qui mélancoliquement coule auprès,
S'abattent, et puis la rumeur mauvaise
Qu'une brise moite en montant apaise,
S'éteint par degrés dans l'arbre, si bien
Qu'au bout d'un instant on n'entend plus rien,
Plus rien que la voix célébrant l'Absente,
Plus rien que la voix — ô si languissante! —
De l'oiseau qui fut mon Premier Amour,
Et qui chante encor comme au premier jour;
Et, dans la splendeur triste d'une lune
Se levant blafarde et solennelle, une

Nuit mélancolique et lourde d'été,
Pleine de silence et d'obscurité,
Berce sur l'azur qu'un vent doux effleure
L'arbre qui frissonne et l'oiseau qui pleure.

CAPRICES

A Henry Winter.

FEMME ET CHATTE

Elle jouait avec sa chatte,
Et c'était merveille de voir
La main blanche et la blanche patte
S'ébattre dans l'ombre du soir.

Elle cachait — la scélérate! —
Sous ces mitaines de fil noir
Ses meurtriers ongles d'agate,
Coupants et clairs comme un rasoir.

L'autre aussi faisait la sucrée
Et rentrait sa griffe acérée,
Mais le diable n'y perdait rien...

Et dans le boudoir où, sonore,
Tintait son rire aérien,
Brillaient quatre points de phosphore.

JÉSUITISME

Le chagrin qui me tue est ironique, et joint
Le sarcasme au supplice, et ne torture point
Franchement, mais picote avec un faux sourire
Et transforme en spectacle amusant mon martyre,
Et, sur la bière où gît mon rêve mi-pourri,
Beugle un *De profundis* sur l'air du *Tradéri*.
C'est un Tartufe qui, tout en mettant des roses
Pompons sur les autels des Madones moroses,
Tout en faisant chanter à des enfants de chœur
Ces cantiques d'eau tiède où se baigne le cœur,
Tout en amidonnant ces guimpes amoureuses
Qui serpentent au cœur sacré des Bienheureuses,
Tout en disant à voix basse son chapelet,
Tout en passant la main sur son petit collet,
Tout en parlant avec componction de l'âme,
N'en médite pas moins ma ruine, — l'infâme!

LA CHANSON DES INGÉNUES

Nous sommes les Ingénues,
Aux bandeaux plats, à l'œil bleu,
Qui vivons, presque inconnues,
Dans les romans qu'on lit peu.

Nous allons entrelacées,
Et le jour n'est pas plus pur
Que le fond de nos pensées,
Et nos rêves sont d'azur;

Et nous courons par les prées
Et rions et babillons
Des aubes jusqu'aux vesprées,
Et chassons aux papillons;

Et des chapeaux de bergères
Défendent notre fraîcheur,
Et nos robes — si légères —
Sont d'une extrême blancheur;

Les Richelieux, les Caussades
Et les chevaliers Faublas
Nous prodiguent les œillades,
Les saluts et les « hélas! »

Mais en vain, et leurs mimiques
Se viennent casser le nez
Devant les plis ironiques
De nos jupons détournés;

Et notre candeur se raille
Des imaginations
De ces raseurs de muraille,
Bien que parfois nous sentions

Battre nos cœurs sous nos mantes
A des pensers clandestins,
En nous sachant les amantes
Futures des libertins.

IV

UNE GRANDE DAME

Belle « à damner les saints », à troubler sous l'aumusse
Un vieux juge! Elle marche impérialement,
Elle parle — et ses dents font un miroitement —
Italien, avec un léger accent russe.

Ses yeux froids où l'émail sertit le bleu de Prusse
Ont l'éclat insolent et dur du diamant.
Pour la splendeur du sein, pour le rayonnement
De la peau, nulle reine ou courtisane, fût-ce

Cléopâtre la lynce ou la chatte Ninon,
N'égale sa beauté pratricienne, non!
Vois, ô bon Buridan : « C'est une grande dame! »

Il faut — pas de milieu! — l'adorer à genoux,
Plat, n'ayant d'astre aux cieux que ses lourds cheveux
[roux,

Ou bien lui cravacher la face, à cette femme!

MONSIEUR PRUDHOMME

Il est grave : il est maire et père de famille.
Son faux col engloutit son oreille. Ses yeux
Dans un rêve sans fin flottent, insoucieux,
Et le printemps en fleur sur ses pantoufles brille.

Que lui fait l'astre d'or, que lui fait la charmille
Où l'oiseau chante à l'ombre, et que lui font les cieux,
Et les prés verts et les gazons silencieux?
Monsieur Prudhomme songe à marier sa fille

Avec monsieur Machin, un jeune homme cossu.
Il est juste milieu, botaniste et pansu.
Quant aux faiseurs de vers, ces vauriens, ces maroufles,

Ces fainéants barbus, mal peignés, il les a
Plus en horreur que son éternel coryza,
Et le printemps en fleur brille sur ses pantoufles.

INITIUM

Les violons mêlaient leur rire au chant des flûtes
Et le bal tournoyait quand je la vis passer
Avec ses cheveux blonds jouant sur les volutes
De son oreille où mon Désir comme un baiser
S'élançait et voulait lui parler sans oser.

Cependant elle allait, et la mazurque lente
La portait dans son rhythme indolent comme un vers,
— Rime mélodieuse, image étincelante, —
Et son âme d'enfant rayonnait à travers
La sensuelle ampleur de ses yeux gris et verts.

Et depuis, ma Pensée — immobile — contemple
Sa Splendeur évoquée, en adoration,
Et dans son Souvenir, ainsi que dans un temple,
Mon Amour entre, plein de superstition.

Et je crois que voici venir la Passion.

ÇAVITRI

MAHABHARATTA.

Pour sauver son époux, Çavitrî fit le vœu
De se tenir trois jours entiers, trois nuits entières,
Debout, sans remuer jambes, buste ou paupières :
Rigide, ainsi que dit Vyaça, comme un pieu.

Ni Çurya, tes rais cruels, ni la langueur
Que T'chandra vient épandre à minuit sur les cimes
Ne firent défaillir, dans leurs efforts sublimes,
La pensée et la chair de la femme au grand cœur.

— Que nous cerne l'Oubli, noir et morne assassin,
Ou que l'Envie aux traits amers nous ait pour cibles,
Ainsi que Çavitrî faisons-nous impassibles,
Mais, comme elle, dans l'âme ayons un haut dessein.

SUB URBE

Les petits ifs du cimetière
Frémissent au vent hiémal,
Dans la glaciale lumière.

Avec des bruits sourds qui font mal,
Les croix de bois des tombes neuves
Vibrent sur un ton anormal.

Silencieux comme les fleuves,
Mais gros de pleurs comme eux de flots,
Les fils, les mères et les veuves,

Par les détours du triste enclos,
S'écoulent, — lente théorie, —
Au rythme heurté des sanglots.

Le sol sous les pieds glisse et crie,
Là-haut de grands nuages tors
S'échevèlent avec furie.

Pénétrant comme le remords,
Tombe un froid lourd qui vous écœure
Et qui doit filtrer chez les morts,

Chez les pauvres morts, à toute heure
Seuls, et sans cesse grelottants,
— Qu'on les oublie ou qu'on les pleure! —

Ah! vienne vite le Printemps,
Et son clair soleil qui caresse,
Et ses doux oiseaux caquetants!

Refleurisse l'enchanteresse
Gloire des jardins et des champs
Que l'âpre hiver tient en détresse!

Et que — des levers aux couchants, —
L'or dilaté d'un ciel sans bornes
Berce de parfums et de chants,

Chers endormis, vos sommeils mornes!

SÉRÉNADE

Comme la voix d'un mort qui chanterait
    Du fond de sa fosse,
Maîtresse, entends monter vers ton retrait
    Ma voix aigre et fausse.

Ouvre ton âme et ton oreille au son
    De ma mandoline :
Pour toi j'ai fait, pour toi, cette chanson
    Cruelle et câline.

Je chanterai tes yeux d'or et d'onyx
    Purs de toutes ombres,
Puis le Léthé de ton sein, puis le Styx
    De tes cheveux sombres.

Comme la voix d'un mort qui chanterait
    Du fond de sa fosse,
Maîtresse, entends monter vers ton retrait
    Ma voix aigre et fausse.

Puis je louerai beaucoup, comme il convient,
    Cette chair bénie
Dont le parfum opulent me revient
    Les nuits d'insomnie.

Et pour finir je dirai le baiser,
    De ta lèvre rouge,
Et ta douceur à me martyriser,
    — Mon Ange! — ma Gouge!

Ouvre ton âme et ton oreille au son
    De ma mandoline :
Pour toi j'ai fait, pour toi, cette chanson
    Cruelle et câline.

UN DAHLIA

Courtisane au sein dur, à l'œil opaque et brun
S'ouvrant avec lenteur comme celui d'un bœuf,
Ton grand torse reluit ainsi qu'un marbre neuf.

Fleur grasse et riche, autour de toi ne flotte aucun
Arôme, et la beauté sereine de ton corps
Déroule, mate, ses impeccables accords.

Tu ne sens même pas la chair, ce goût qu'au moins
Exhalent celles-là qui vont fanant les foins,
Et tu trônes, Idole insensible à l'encens.

— Ainsi le Dahlia, roi vêtu de splendeur,
Elève sans orgueil sa tête sans odeur,
Irritant au milieu des jasmins agaçants!

NEVERMORE

Allons, mon pauvre cœur, allons, *mon vieux complice,*
Redresse et peins à neuf tous tes arcs triomphaux;
Brûle un encens ranci sur tes autels d'or faux;
Sème de fleurs les bords béants du précipice;
Allons, mon pauvre cœur, allons, *mon vieux complice!*

Pousse à Dieu ton cantique, ô chantre rajeuni;
Entonne, orgue enroué, des *Te Deum* splendides;
Vieillard prématuré, mets du fard sur tes rides;
Couvre-toi de tapis mordorés, mur jauni;
Pousse à Dieu ton cantique, ô chantre rajeuni.

Sonnez, grelots; sonnez, clochettes; sonnez, cloches!
Car mon rêve impossible a pris corps et je l'ai
Entre mes bras pressé : le Bonheur, cet ailé
Voyageur qui de l'Homme évite les approches,
— Sonnez, grelots; sonnez, clochettes; sonnez, cloches!

Le Bonheur a marché côte à côte avec moi;
Mais la FATALITÉ ne connaît point de trêve :
Le ver est dans le fruit, le réveil dans le rêve,
Et le remords est dans l'amour : telle est la loi.
— Le Bonheur a marché côte à côte avec moi.

IL BACIO

Baiser! rose trémière au jardin des caresses!
Vif accompagnement sur le clavier des dents
Des doux refrains qu'Amour chante en les cœurs ardents
Avec sa voix d'archange aux langueurs charmeresses!

Sonore et gracieux Baiser, divin Baiser!
Volupté nonpareille, ivresse inénarrable!
Salut! l'homme, penché sur ta coupe adorable,
S'y grise d'un bonheur qu'il ne sait épuiser.

Comme le vin du Rhin et comme la musique,
Tu consoles et tu berces, et le chagrin
Expire avec la moue en ton pli purpurin...
Qu'un plus grand, Gœthe ou Will, te dresse un vers
                                        [classique :

Moi, je ne puis, chétif trouvère de Paris,
T'offrir que ce bouquet de strophes enfantines :
Sois bénin, et pour prix, sur les lèvres mutines
D'Une que je connais, Baiser, descends, et ris.

DANS LES BOIS

D'autres, — des innocents ou bien des lymphatiques, —
Ne trouvent dans les bois que charmes langoureux,
Souffles frais et parfums tièdes. Ils sont heureux!
D'autres s'y sentent pris — rêveurs — d'effrois mystiques.

Ils sont heureux! Pour moi, nerveux, et qu'un remords
Epouvantable et vague affole sans relâche,
Par les forêts je tremble à la façon d'un lâche
Qui craindrait une embûche ou qui verrait des morts.

Ces grands rameaux jamais apaisés, comme l'onde,
D'où tombe un noir silence avec une ombre encor
Plus noire, tout ce morne et sinistre décor
Me remplit d'une horreur triviale et profonde.

Surtout les soirs d'été : la rougeur du couchant
Se fond dans le gris bleu des brumes qu'elle teinte
D'incendie et de sang; et l'angélus qui tinte
Au lointain semble un cri plaintif se rapprochant.

Le vent se lève chaud et lourd, un frisson passe
Et repasse, toujours plus fort, dans l'épaisseur
Toujours plus sombre des hauts chênes, obsesseur,
Et s'éparpille, ainsi qu'un miasme, dans l'espace.

La nuit vient. Le hibou s'envole. C'est l'instant
Où l'on songe aux récits des aïeules naïves...
Sous un fourré, là-bas, là-bas, des sources vives
Font un bruit d'assassins postés se concertant.

NOCTURNE PARISIEN

A Edmond Lepelletier.

Roule, roule ton flot indolent, morne Seine. —
Sous tes ponts qu'environne une vapeur malsaine
Bien des corps ont passé, morts, horribles, pourris,
Dont les âmes avaient pour meurtrier Paris.
Mais tu n'en traînes pas, en tes ondes glacées,
Autant que ton aspect m'inspire de pensées!

Le Tibre a sur ses bords des ruines qui font
Monter le voyageur vers un passé profond,
Et qui, de lierre noir et de lichen couvertes,
Apparaissent, tas gris, parmi les herbes vertes.
Le gai Guadalquivir rit aux blonds orangers
Et reflète, les soirs, des boléros légers.

Le Pactole a son or. Le Bosphore a sa rive
Où vient faire son kief l'odalisque lascive.
Le Rhin est un burgrave, et c'est un troubadour
Que le Lignon, et c'est un ruffian que l'Adour.
Le Nil, au bruit plaintif de ses eaux endormies,
Berce de rêves doux le sommeil des momies.
Le grand Meschascébé, fier de ses joncs sacrés,
Charrie augustement ses îlots mordorés,
Et soudain, beau d'éclairs, de fracas et de fastes,
Splendidement s'écroule en Niagaras vastes.
L'Eurotas, où l'essaim des cygnes familiers
Mêle sa grâce blanche au vert mat des lauriers,
Sous son ciel clair que raie un vol de gypaète,
Rhythmique et caressant, chante ainsi qu'un poète.
Enfin, Ganga, parmi les hauts palmiers tremblants
Et les rouges padmas, marche à pas fiers et lents,
En appareil royal, tandis qu'au loin la foule
Le long des temples va hurlant, vivante houle,
Au claquement massif des cymbales de bois,
Et qu'accroupi, filant ses notes de hautbois,
Du saut de l'antilope agile attendant l'heure,
Le tigre jaune au dos rayé s'étire et pleure.

— Toi, Seine, tu n'as rien. Deux quais, et voilà tout,
Deux quais crasseux, semés de l'un à l'autre bout
D'affreux bouquins moisis et d'une foule insigne
Qui fait dans l'eau des ronds et qui pêche à la ligne.
Oui, mais quand vient le soir, raréfiant enfin
Les passants alourdis de sommeil ou de faim,
Et que le couchant met au ciel des taches rouges,
Qu'il fait bon aux rêveurs descendre de leurs bouges
Et, s'accoudant au pont de la Cité, devant
Notre-Dame, songer, cœur et cheveux au vent!
Les nuages, chassés par la brise nocturne,
Courent, cuivreux et roux, dans l'azur taciturne.
Sur la tête d'un roi du portail, le soleil,
Au moment de mourir, pose un baiser vermeil.
L'hirondelle s'enfuit à l'approche de l'ombre
Et l'on voit voleter la chauve-souris sombre.
Tout bruit s'apaise autour. A peine un vague son
Dit que la ville est là qui chante sa chanson,
Qui lèche ses tyrans et qui mord ses victimes;
Et c'est l'aube des vols, des amours et des crimes.
— Puis, tout à coup, ainsi qu'un ténor effaré
Lançant dans l'air bruni son cri désespéré,
Son cri qui se lamente, et se prolonge, et crie,
Eclate en quelque coin l'orgue de Barbarie :
Il brame un de ces airs, romances ou polkas,

Qu'enfants nous tapotions sur nos harmonicas
Et qui font, lents ou vifs, réjouissants ou tristes,
Vibrer l'âme aux proscrits, aux femmes, aux artistes.
C'est écorché, c'est faux, c'est horrible, c'est dur,
Et donnerait la fièvre à Rossini, pour sûr;
Ces rires sont traînés, ces plaintes sont hachées;
Sur une clef de sol impossible juchées,
Les notes ont un rhume et les *do* sont des *la*,
Mais qu'importe! l'on pleure en entendant cela!
Mais l'esprit, transporté dans le pays des rêves,
Sent à ces vieux accords couler en lui des sèves;
La pitié monte au cœur et les larmes aux yeux,
Et l'on voudrait pouvoir goûter la paix des cieux,
Et dans une harmonie étrange et fantastique
Qui tient de la musique et tient de la plastique,
L'âme, les inondant de lumière et de chant,
Mêle les sons de l'orgue aux rayons du couchant!

— Et puis l'orgue s'éloigne, et puis c'est le silence
Et la nuit terne arrive et Vénus se balance
Sur une molle nue au fond des cieux obscurs;
On allume les becs de gaz le long des murs.
Et l'astre et les flambeaux font des zigzags fantasques
Dans le fleuve plus noir que le velours des masques;

Et le contemplateur sur le haut garde-fou
Par l'air et par les ans rouillé comme un vieux sou
Se penche, en proie aux vents néfastes de l'abîme.
Pensée, espoir serein, ambition sublime,
Tout jusqu'au souvenir, tout s'envole, tout fuit,
Et l'on est seul avec Paris, l'Onde et la Nuit!

— Sinistre trinité! De l'ombre dures portes!
Mané-Thécel-Pharès des illusions mortes!
Vous êtes toutes trois, ô Goules de malheur,
Si terribles, que l'Homme, ivre de la douleur
Que lui font en perçant sa chair vos doigts de spectre,
L'Homme, espèce d'Oreste à qui manque un Électre,
Sous la fatalité de votre regard creux
Ne peut rien et va droit au précipice affreux;
Et vous êtes aussi toutes trois si jalouses
De tuer et d'offrir au grand Ver des épouses
Qu'on ne sait que choisir entre vos trois horreurs,
Et si l'on craindrait moins périr par les terreurs
Des Ténèbres que sous l'Eau sourde, l'Eau profonde,
Ou dans tes bras fardés, Paris, reine du monde!

— Et tu coules toujours, Seine, et, tout en rampant,
Tu traînes dans Paris ton cours de vieux serpent,
De vieux serpent boueux, emportant vers tes havres
Tes cargaisons de bois, de houille et de cadavres!

MARCO

Quand Marco passait, tous les jeunes hommes
Se penchaient pour voir ses yeux, des Sodomes
Où les feux d'Amour brûlaient sans pitié
Ta pauvre cahute, ô froide Amitié;
Tout autour dansaient des parfums mystiques
Où l'âme en pleurant s'anéantissait;
Sur ses cheveux roux un charme glissait;
Sa robe rendait d'étranges musiques
      Quand Marco passait.

Quand Marco chantait, ses mains, sur l'ivoire,
Evoquaient souvent la profondeur noire
Des airs primitifs que nul n'a redits,
Et sa voix montait dans les paradis

De la symphonie immense des rêves,
Et l'enthousiasme alors transportait
Vers des cieux *connus* quiconque écoutait
Ce timbre d'argent qui vibrait sans trêves,
      Quand Marco chantait.

Quand Marco pleurait, ses terribles larmes
Défiaient l'éclat des plus belles armes;
Ses lèvres de sang fonçaient leur carmin
Et son désespoir n'avait rien d'humain;
Pareil au foyer que l'huile exaspère,
Son courroux croissait, rouge, et l'on aurait
Dit d'une lionne à l'âpre forêt
Communiquant sa terrible colère,
      Quand Marco pleurait.

Quand Marco dansait, sa jupe moirée
Allait et venait comme une marée,
Et, tel qu'un bambou flexible, son flanc
Se tordait, faisant saillir son sein blanc :
Un éclair partait. Sa jambe de marbre,
Emphatiquement cynique, haussait
Ses mates splendeurs, et cela faisait
Le bruit du vent de la nuit dans un arbre,
      Quand Marco dansait.

Quand Marco dormait, oh! quels parfums d'ambre
Et de chairs mêlés opprimaient la chambre!
Sous les draps la ligne exquise du dos
Ondulait, et dans l'ombre des rideaux
L'haleine montait, rhythmique et légère;
Un sommeil heureux et calme fermait
Ses yeux, et ce doux mystère charmait
Les vagues objets parmi l'étagère,
       Quand Marco dormait.

Mais quand elle aimait, des flots de luxure
Débordaient, ainsi que d'une blessure
Sort un sang vermeil qui fume et qui bout,
De ce corps cruel que son crime absout;
Le torrent rompait les digues de l'âme,
Noyait la pensée, et bouleversait
Tout sur son passage, et rebondissait
Souple et dévorant comme de la flamme,
       Et puis se glaçait.

CÉSAR BORGIA

Sur fond sombre noyant un riche vestibule
Où le buste d'Horace et celui de Tibulle,
Lointains et de profil, rêvent en marbre blanc,
La main gauche au poignard et la main droite au flanc,
Tandis qu'un rire doux redresse la moustache,
Le duc CÉSAR, en grand costume, se détache.
Les yeux noirs, les cheveux noirs et le velours noir
Vont contrastant, parmi l'or somptueux d'un soir,
Avec la pâleur mate et belle du visage
Vu de trois quarts et très ombré suivant l'usage
Des Espagnols ainsi que des Vénitiens
Dans les portraits de rois et de patriciens.
Le nez palpite, fin et droit. La bouche, rouge,
Est mince, et l'on dirait que la tenture bouge
Au souffle véhément qui doit s'en exhaler.

Et le regard, errant avec laisser-aller
Devant lui, comme il sied aux anciennes peintures,
Fourmille de pensers énormes d'aventures,
Et le front, large et pur, sillonné d'un grand pli,
Sans doute de projets formidables rempli,
Médite sous la toque où frissonne une plume
S'élançant hors d'un nœud de rubis qui s'allume.

LA MORT DE PHILIPPE II

A Louis-Xavier de Ricard.

Le coucher d'un soleil de septembre ensanglante
La plaine morne et l'âpre arête des sierras
Et de la brume au loin l'installation lente.

Le Guadarrama pousse entre les sables ras
Son flot hâtif qui va réfléchissant par places
Quelques oliviers nains tordant leurs maigres bras.

Le grand vol anguleux des éperviers rapaces
Raye à l'ouest le ciel mat et rouge qui brunit,
Et leur cri rauque grince à travers les espaces.

Despotique, et dressant au-devant du zénith
L'entassement brutal de ses tours octogones,
L'Escurial étend son orgueil de granit.

Les murs carrés, percés de vitraux monotones,
Montent, droits, blancs et nus, sans autres ornements
Que quelques grils sculptés qu'alternent des couronnes.

Avec des bruits pareils aux rudes hurlements
D'un ours que des bergers navrent de coups de pioches
Et dont l'écho redit les râles alarmants,

Torrent de cris roulant ses ondes sur les roches,
Et puis s'évaporant en des murmures longs,
Sinistrement dans l'air du soir tintent les cloches.

Par les cours du palais, où l'ombre met ses plombs,
Circule — tortueux serpent hiératique —
Une procession de moines aux frocs blonds

Qui marchent un par un, suivant l'ordre ascétique,
Et qui, pieds nus, la corde aux reins, un cierge en main.
Ululent d'une voix formidable un cantique.

— Qui donc ici se meurt? Pour qui sur le chemin
Cette paille épandue et ces croix long-voilées
Selon le rituel catholique romain? —

La chambre est haute, vaste et sombre. Niellées,
Les portes d'acajou massif tournent sans bruit,
Leurs serrures étant, comme leurs gonds, huilées.

Une vague rougeur plus triste que la nuit
Filtre à rais indécis par les plis des tentures
A travers les vitraux où le couchant reluit

Et fait papilloter sur les architectures,
A l'angle des objets, dans l'ombre du plafond,
Ce halo singulier qu'on voit dans les peintures.

Parmi le clair-obscur transparent et profond
S'agitent effarés des hommes et des femmes
A pas furtifs, ainsi que les hyènes font.

Riches, les vêtements des seigneurs et des dames,
Velours, panne, satin, soie, hermine et brocart,
Chantent l'ode du luxe en chatoyantes gammes,

Et, trouant par éclairs distancés avec art
L'opaque demi-jour, les cuirasses de cuivre
Des gardes alignés scintillent de trois quart.

Un homme en robe noire, à visage de cuivre,
Se penche, en caressant de la main ses fémurs,
Sur un lit, comme l'on se penche sur un livre.

Des rideaux de drap d'or roides comme des murs
Tombent d'un dais de bois d'ébène en droite ligne,
Dardant à temps égaux l'œil des diamants durs.

Dans le lit, un vieillard d'une maigreur insigne
Egrène un chapelet, qu'il baise par moment,
Entre ses doigts crochus comme des brins de vigne.

Ses lèvres font ce sourd et long marmottement,
Dernier signe de vie et premier d'agonie,
— Et son haleine pue épouvantablement.

Dans sa barbe couleur d'amarante ternie,
Parmi ses cheveux blancs où luisent des tons roux,
Sous son linge bordé de dentelle jaunie,

Avides, empressés, fourmillants, et jaloux
De pomper tout le sang malsain du mourant fauve
En bataillons serrés vont et viennent les poux.

C'est le Roi, ce mourant qu'assiste un mire chauve,
Le Roi Philippe Deux d'Espagne, — saluez!
Et l'aigle autrichien s'effare dans l'alcôve,

Et de grands écussons, aux murailles cloués,
Brillent, et maints drapeaux où l'oiseau noir s'étale
Pendent de çà de là, vaguement remués!...

— La porte s'ouvre. Un flot de lumière brutale
Jaillit soudain, déferle et bientôt s'établit
Par l'ampleur de la chambre en nappe horizontale;

Porteurs de torches, roux, et que l'extase emplit,
Entrent dix capucins qui restent en prière :
Un d'entre eux se détache et marche droit au lit.

Il est grand, jeune et maigre, et son pas est de pierre,
Et les élancements farouches de la Foi
Rayonnent à travers les cils de sa paupière;

Son pied ferme et pesant et lourd, comme la Loi,
Sonne sur les tapis, régulier, emphatique :
Les yeux baissés en terre, il marche droit au Roi.

Et tous sur son trajet dans un geste extatique
S'agenouillent, frappant trois fois du poing leur sein,
Car il porte avec lui le sacré Viatique.

Du lit s'écarte avec respect le matassin,
Le médecin du corps, en pareille occurrence,
Devant céder la place, Ame, à ton médecin.

La figure du Roi, qu'étire la souffrance,
A l'approche du fray se rassérène un peu,
Tant la religion est grosse d'espérance!

Le moine, cette fois, ouvrant son œil de feu,
Tout brillant de pardons mêlés à des reproches,
S'arrête, messager des justices de Dieu.

— Sinistrement dans l'air du soir tintent les cloches.

*

Et la Confession commence. Sur le flanc
Se retournant, le Roi, d'un ton sourd, bas et grêle,
Parle de feux, de juifs, de bûchers et de sang.

— « Vous repentiriez-vous par hasard de ce zèle?
« Brûler des juifs, mais c'est une dilection!
« Vous fûtes, ce faisant, orthodoxe et fidèle. » —

Et, se pétrifiant dans l'exaltation,
Le Révérend, les bras croisés, tête dressée,
Semble l'esprit sculpté de l'Inquisition.

Ayant repris haleine, et d'une voix cassée,
Péniblement, et comme arrachant par lambeaux
Un remords douloureux du fond de sa pensée,

Le Roi, dont la lueur tragique des flambeaux
Eclaire le visage osseux et le front blême,
Prononce ces mots : Flandre, Albe, morts, sacs, tombeaux.

— « Les Flamands, révoltés contre l'Eglise même,
« Furent très justement punis, à votre los,
« Et je m'étonne, ô Roi, de ce doute suprême.

« Poursuivez. » Et le Roi parla de don Carlos,
Et deux larmes coulaient tremblantes sur sa joue
Palpitante et collée affreusement à l'os.

— « Vous déplorez cet acte, et moi je vous en loue.
« L'Infant, certes, était coupable au dernier point,
« Ayant voulu tirer l'Espagne dans la boue

« De l'hérésie anglaise, et de plus n'ayant point
« Frémi de conspirer — ô ruses abhorrées! —
« Et contre un Père, et contre un Maître, et contre un
                                                    [Oint! »

Le moine ensuite dit les formules sacrées
Par quoi tous nos péchés nous sont remis, et puis,
Prenant l'Hostie avec ses deux mains timorées,

Sur la langue du Roi la déposa. Tous bruits
Se sont tus, et la Cour, pliant dans la détresse,
Pria, muette et pâle, et nul n'a su depuis

Si sa prière fut sincère ou bien traîtresse.
— Qui dira les pensers obscurs que protégea
Ce silence, brouillard complice qui se dresse? —

Ayant communié, le Roi se replongea
Dans l'ampleur des coussins, et la béatitude
De l'Absolution reçue ouvrant déjà

L'œil de son âme au jour clair de la certitude,
Epanouit ses traits en un sourire exquis
Qui tenait de la fièvre et de la quiétude.

Et tandis qu'alentour ducs, comtes et marquis,
Pleins d'angoisses, fichaient leurs yeux sous la courtine,
L'âme du Roi montait, sereine, aux cieux conquis,

Puis le râle des morts hurla dans la poitrine
De l'auguste malade avec des sursauts fous :
Tel l'ouragan passe à travers une ruine.

Et puis plus rien; et puis, sortant par mille trous,
Ainsi que des serpents frileux de leur repaire,
Sur le corps froid les vers se mêlèrent aux poux.

— Philippe Deux était à la droite du Père.

ÉPILOGUE

Le soleil, moins ardent, luit clair au ciel moins dense.
Balancés par un vent automnal et berceur,
Les rosiers du jardin s'inclinent en cadence.
L'atmosphère ambiante a des baisers de sœur.

La Nature a quitté pour cette fois son trône
De splendeur, d'ironie et de sérénité :
Clémente, elle descend, par l'ampleur de l'air jaune,
Vers l'homme, son sujet pervers et révolté.

Du pan de son manteau, que l'abîme constelle,
Elle daigne essuyer les moiteurs de nos fronts,
Et son âme éternelle et sa force immortelle
Donnent calme et vigueur à nos cœurs mous et prompts.

Le frais balancement des ramures chenues,
L'horizon élargi plein de vagues chansons,
Tout, jusqu'au vol joyeux des oiseaux et des nues,
Tout, aujourd'hui, console et délivre. — Pensons.

II

Donc, c'en est fait. Ce livre est clos. Chères Idées
Qui rayiez mon ciel gris de vos ailes de feu
Dont le vent caressait mes tempes obsédées,
Vous pouvez revoler devers l'Infini bleu!

Et toi, Vers qui tintais, et toi, Rime sonore,
Et vous, Rhythmes chanteurs, et vous, délicieux
Ressouvenirs, et vous, Rêves, et vous encore,
Images qu'évoquaient mes désirs anxieux,

Il faut nous séparer. Jusqu'aux jours plus propices
Où nous réunira l'Art, notre maître, adieu,
Adieu, doux compagnons, adieu, charmants complices!
Vous pouvez revoler devers l'Infini bleu.

Aussi bien, nous avons fourni notre carrière,
Et le jeune étalon de notre bon plaisir,
Tout affolé qu'il est de sa course première,
A besoin d'un peu d'ombre et de quelque loisir.

— Car toujours nous t'avons fixée, ô Poésie,
Notre astre unique et notre unique passion,
T'ayant seule pour guide et compagne choisie,
Mère, et nous méfiant de l'Inspiration.

III

Ah! l'Inspiration superbe et souveraine,
L'Égérie aux regards lumineux et profonds,
Le Genium commode et l'Erato soudaine,
L'Ange des vieux tableaux avec des ors au fond,

La Muse, dont la voix est puissante sans doute,
Puisqu'elle fait d'un coup dans les premiers cerveaux,
Comme ces pissenlits dont s'émaillent la route,
Pousser tout un jardin de poèmes nouveaux,

La Colombe, le Saint-Esprit, le Saint Délire,
Les Troubles opportuns, les Transports complaisants,
Gabriel et son luth, Apollon et sa lyre,
Ah! l'Inspiration, on l'évoque à seize ans!

Ce qu'il nous faut à nous, les Suprêmes Poètes
Qui vénérons les Dieux et qui n'y croyons pas,
A nous dont nul rayon n'auréola les têtes,
Dont nulle Béatrix n'a dirigé les pas,

A nous qui ciselons les mots comme des coupes
Et qui faisons des vers émus très froidement,
A nous qu'on ne voit point les soirs aller par groupes
Harmonieux au bord des *lacs* et nous pâmant,

Ce qu'il nous faut, à nous, c'est, aux lueurs des lampes,
La science conquise et le sommeil dompté,
C'est le front dans les mains du vieux Faust des estampes,
C'est l'Obstination et c'est la Volonté!

C'est la Volonté sainte, absolue, éternelle,
Cramponnée au projet comme un noble condor
Aux flancs fumants de peur d'un buffle, et d'un coup
                                            [d'aile
Emportant son trophée à travers les cieux d'or!

Ce qu'il nous faut à nous, c'est l'étude sans trêve,
C'est l'effort inouï, le combat nonpareil,
C'est la nuit, l'âpre nuit du travail, d'où se lève
Lentement, lentement, l'Œuvre, ainsi qu'un soleil!

Libre à nos Inspirés, cœurs qu'une œillade enflamme,
D'abandonner leur être aux vents comme un bouleau;
Pauvres gens! l'Art n'est pas d'éparpiller son âme :
Est-elle en marbre, ou non, la Vénus de Milo?

Nous donc, sculptons avec le ciseau des Pensées
Le bloc vierge du Beau, Paros immaculé,
Et faisons-en surgir sous nos mains empressées
Quelque pure statue au péplos étoilé,

Afin qu'un jour, frappant de rayons gris et roses
Le chef-d'œuvre serein, comme un nouveau Memnon,
L'Aube-Postérité, fille des Temps moroses,
Fasse dans l'air futur retentir notre nom!

FÊTES GALANTES

CLAIR DE LUNE

Votre âme est un paysage choisi
Que vont charmant masques et bergamasques,
Jouant du luth, et dansant, et quasi
Tristes sous leurs déguisements fantasques.

Tout en chantant sur le mode mineur
L'amour vainqueur et la vie opportune,
Ils n'ont pas l'air de croire à leur bonheur
Et leur chanson se mêle au clair de lune,

Au calme clair de lune triste et beau,
Qui fait rêver les oiseaux dans les arbres
Et sangloter d'extase les jets d'eau,
Les grands jets d'eau sveltes parmi les marbres.

PANTOMIME

Pierrot, qui n'a rien d'un Clitandre,
Vide un flacon sans plus attendre,
Et, pratique, entame un pâté.

Cassandre, au fond de l'avenue,
Verse une larme méconnue
Sur son neveu déshérité.

Ce faquin d'Arlequin combine
L'enlèvement de Colombine
Et pirouette quatre fois.

Colombine rêve, surprise
De sentir un cœur dans la brise
Et d'entendre en son cœur des voix.

SUR L'HERBE

— L'abbé divague. — Et toi, marquis,
Tu mets de travers ta perruque.
— Ce vieux vin de Chypre est exquis
Moins, Camargo, que votre nuque.

— Ma flamme... — Do, mi, sol, la, si.
L'abbé, ta noirceur se dévoile!
— Que je meure, mesdames, si
Je ne vous décroche une étoile!

— Je voudrais être petit chien!
— Embrassons nos bergères, l'une
Après l'autre. — Messieurs, eh bien?
— Do, mi, sol. — Hé! bonsoir la Lune!

L'ALLÉE

Fardée et peinte comme au temps des bergeries,
Frêle parmi les nœuds énormes de rubans,
Elle passe sous les ramures assombries,
Dans l'allée où verdit la mousse des vieux bancs,
Avec mille façons et mille afféteries
Qu'on garde d'ordinaire aux perruches chéries.
Sa longue robe à queue est bleue, et l'éventail
Qu'elle froisse en ses doigts fluets aux larges bagues
S'égaie un des sujets érotiques, si vagues
Qu'elle sourit, tout en rêvant, à maint détail.

— Blonde, en somme. Le nez mignon avec la bouche
Incarnadine, grasse, et divine d'orgueil
Inconscient. — D'ailleurs plus fine que la mouche
Qui ravive l'éclat un peu niais de l'œil.

A LA PROMENADE

Le ciel si pâle et les arbres si grêles
Semblent sourire à nos costumes clairs
Qui vont flottant légers avec des airs
De nonchalance et des mouvements d'ailes.

Et le vent doux ride l'humble bassin,
Et la lueur du soleil qu'atténue
L'ombre des bas tilleuls de l'avenue
Nous parvient bleue et mourante à dessein.

Trompeurs exquis et coquettes charmantes,
Cœurs tendres mais affranchis du serment,
Nous devisons délicieusement,
Et les amants lutinent les amantes

De qui la main imperceptible sait
Parfois donner un soufflet qu'on échange
Contre un baiser sur l'extrême phalange
Du petit doigt, et comme la chose est

Immensément excessive et farouche,
On est puni par un regard très sec,
Lequel contraste, au demeurant, avec
La moue assez clémente de la bouche.

DANS LA GROTTE

Là! Je me tue à vos genoux!
    Car ma détresse est infinie,
Et la tigresse épouvantable d'Hyrcanie
    Est une agnelle au prix de vous.

    Oui, céans, cruelle Clymène,
        Ce glaive, qui dans maints combats
Mit tant de Scipions et de Cyrus à bas,
        Va finir ma vie et ma peine!

Ai-je même besoin de lui
Pour descendre aux Champs Elysées?
Amour perça-t-il pas de flèches aiguisées
Mon cœur, dès que votre œil m'eut lui?

LES INGÉNUS

Les hauts talons luttaient avec les longues jupes,
En sorte que, selon le terrain et le vent,
Parfois luisaient des bas de jambes, trop souvent
Interceptés! — et nous aimions ce jeu de dupes.

Parfois aussi le dard d'un insecte jaloux
Inquiétait le col des belles sous les branches,
Et c'était des éclairs soudains de nuques blanches,
Et ce régal comblait nos jeunes yeux de fous.

Le soir tombait, un soir équivoque d'automne :
Les belles, se pendant rêveuses à nos bras,
Dirent alors des mots si spécieux, tout bas,
Que notre âme depuis ce temps tremble et s'étonne.

CORTÈGE

Un singe en veste de brocart
Trotte et gambade devant elle
Qui froisse un mouchoir de dentelle
Dans sa main gantée avec art,

Tandis qu'un négrillon tout rouge
Maintient à tour de bras les pans
De sa lourde robe en suspens,
Attentif à tout pli qui bouge;

Le singe ne perd pas des yeux
La gorge blanche de la dame,
Opulent trésor que réclame
Le torse nu de l'un des dieux;

FÊTES GALANTES

Le négrillon parfois soulève
Plus haut qu'il ne faut, l'aigrefin,
Son fardeau somptueux, afin
De voir ce dont la nuit il rêve;

Elle va par les escaliers
Et ne paraît pas davantage
Sensible à l'insolent suffrage
De ses animaux familiers.

LES COQUILLAGES

Chaque coquillage incrusté
Dans la grotte où nous nous aimâmes
A sa particularité.

L'un a la pourpre de nos âmes
Dérobée au sang de nos cœurs
Quand je brûle et que tu t'enflammes;

Cet autre affecte tes langueurs
Et tes pâleurs alors que, lasse,
Tu m'en veux de mes yeux moqueurs;

Celui-ci contrefait la grâce
De ton oreille, et celui-là
Ta nuque rose, courte et grasse;

Mais un, entre autres, me troubla.

EN PATINANT

Nous fûmes dupes, vous et moi,
De manigances mutuelles,
Madame, à cause de l'émoi
Dont l'Eté férut nos cervelles.

Le Printemps avait bien un peu
Contribué, si ma mémoire
Est bonne, à brouiller notre jeu,
Mais que d'une façon moins noire!

Car au printemps l'air est si frais
Qu'en somme les roses naissantes
Qu'Amour semble entrouvrir exprès
Ont des senteurs presque innocentes;

Et même les lilas ont beau
Pousser leur haleine poivrée,
Dans l'ardeur du soleil nouveau :
Cet excitant au plus récrée,

Tant le zéphyr souffle, moqueur,
Dispersant l'aphrodisiaque
Effluve, en sorte que le cœur
Chôme et que même l'esprit vaque,

Et qu'émoustillés, les cinq sens
Se mettent alors de la fête,
Mais seuls, tout seuls, bien seuls et sans
Que la crise monte à la tête.

Ce fut le temps, sous de clairs ciels,
(Vous en souvenez-vous, Madame?),
Des baisers superficiels
Et des sentiments à fleur d'âme,

Exempts de folles passions,
Pleins d'une bienveillance amène,
Comme tous deux nous jouissions
Sans enthousiasme — et sans peine!

Heureux instants! — mais vint l'Eté!
Adieu, rafraîchissantes brises!
Un vent de lourde volupté
Investit nos âmes surprises.

Des fleurs aux calices vermeils
Nous lancèrent leurs odeurs mûres,
Et partout les mauvais conseils
Tombèrent sur nous des ramures.

Nous cédâmes à tout cela,
Et ce fut un bien ridicule
Vertigo qui nous affola
Tant que dura la canicule.

Rires oiseux, pleurs sans raisons,
Mains indéfiniment pressées,
Tristesses moites, pâmoisons,
Et quel vague dans les pensées!

L'automne, heureusement, avec
Son jour froid et ses bises rudes,
Vint nous corriger, bref et sec,
De nos mauvaises habitudes,

Et nous induisit brusquement
En l'élégance réclamée
De tout irréprochable amant
Comme de toute digne aimée...

Or, c'est l'Hiver, Madame, et nos
Parieurs tremblent pour leur bourse,
Et déjà les autres traîneaux
Osent nous disputer la course.

Les deux mains dans votre manchon,
Tenez-vous bien sur la banquette,
Et filons! et bientôt Fanchon
Nous fleurira — quoi qu'on caquette!

FANTOCHES

Scaramouche et Pulcinella
Qu'un mauvais destin rassembla
Gesticulent, noirs sous la lune.

Cependant l'excellent docteur
Bolonais cueille avec lenteur
Des simples parmi l'herbe brune.

Lors sa fille, piquant minois,
Sous la charmille, en tapinois,
Se glisse demi-nue, en quête

De son beau pirate espagnol,
Dont un langoureux rossignol
Clame la détresse à tue-tête.

CYTHÈRE

Un pavillon à claires-voies
Abrite doucement nos joies
Qu'éventent des rosiers amis;

L'odeur des roses, faible, grâce
Au vent léger d'été qui passe,
Se mêle aux parfums qu'elle a mis;

Comme ses yeux l'avaient promis,
Son courage est grand et sa lèvre
Communique une exquise fièvre;

Et l'Amour comblant tout, hormis
La Faim, sorbets et confitures
Nous préservent des courbatures.

EN BATEAU

L'étoile du berger tremblote
Dans l'eau plus noire et le pilote
Cherche un briquet dans sa culotte.

C'est l'instant, Messieurs, ou jamais,
D'être audacieux, et je mets
Mes deux mains partout désormais!

Le chevalier Atys, qui gratte
Sa guitare, à Chloris l'ingrate
Lance une œillade scélérate.

L'abbé confesse bas Eglé,
Et ce vicomte déréglé
Des champs donne à son cœur la clé.

Cependant la lune se lève
Et l'esquif en sa course brève
File gaîment sur l'eau qui rêve.

LE FAUNE

Un vieux faune de terre cuite
Rit au centre des boulingrins,
Présageant sans doute une suite
Mauvaise à ces instants sereins

Qui m'ont conduit et t'ont conduite,
— Mélancoliques pèlerins, —
Jusqu'à cette heure dont la fuite
Tournoie au son des tambourins.

MANDOLINE

Les donneurs de sérénades
Et les belles écouteuses
Echangent des propos fades
Sous les ramures chanteuses.

C'est Tircis et c'est Aminte,
Et c'est l'éternel Clitandre,
Et c'est Damis qui pour mainte
Cruelle fait maint vers tendre.

Leurs courtes vestes de soie,
Leurs longues robes à queues,
Leur élégance, leur joie
Et leurs molles ombres bleues

Tourbillonnent dans l'extase
D'une lune rose et grise,
Et la mandoline jase
Parmi les frissons de brise.

A CLYMÈNE

Mystiques barcarolles,
Romances sans paroles,
Chère, puisque tes yeux,
   Couleur des cieux,

Puisque ta voix, étrange
Vision qui dérange
Et trouble l'horizon
   De ma raison,

Puisque l'arôme insigne
De ta pâleur de cygne
Et puisque la candeur
   De ton odeur,

Ah! puisque tout ton être,
Musique qui pénètre,
Nimbes d'anges défunts,
  Tons et parfums,

A, sur d'almes cadences
En ses correspondances
Induit mon cœur subtil,
  Ainsi soit-il!

LETTRE

Eloigné de vos yeux, Madame, par des soins
Impérieux (j'en prends tous les dieux à témoins),
Je languis et je meurs, comme c'est ma coutume
En pareil cas, et vais, le cœur plein d'amertume,
A travers des soucis où votre ombre me suit,
Le jour dans mes pensers, dans mes rêves la nuit,
Et, la nuit et le jour, adorable, Madame!
Si bien qu'enfin, mon corps faisant place à mon âme,
Je deviendrai fantôme à mon tour aussi, moi,
Et qu'alors, et parmi le lamentable émoi
Des enlacements vains et des désirs sans nombre,
Mon ombre se fondra pour jamais en votre ombre.

En attendant, je suis, très chère, ton valet.

Tout se comporte-t-il là-bas comme il te plaît,
Ta perruche, ton chat, ton chien? La compagnie
Est-elle toujours belle? et cette Silvanie
Dont j'eusse aimé l'œil noir si le tien n'était bleu,
Et qui parfois me fit des signes, palsambleu!
Te sert-elle toujours de douce confidente?

Or, Madame, un projet impatient me hante
De conquérir le monde et tous ses trésors pour
Mettre à vos pieds ce gage — indigne — d'un amour
Egal à toutes les flammes les plus célèbres
Qui des grands cœurs aient fait resplendir les ténèbres
Cléopâtre fut moins aimée, oui, sur ma foi!
Par Marc-Antoine et par César que vous par moi,
N'en doutez pas, Madame, et je saurai combattre
Comme César pour un sourire, ô Cléopâtre,
Et comme Antoine fuir au seul prix d'un baiser.

Sur ce, très chère, adieu. Car voilà trop causer,
Et le temps que l'on perd à lire une missive
N'aura jamais valu la peine qu'on l'écrive.

LES INDOLENTS

« Bah! malgré les destins jaloux,
Mourons ensemble, voulez-vous?
— La proposition est rare.

— Le rare est le bon. Donc mourons
Comme dans les Décamérons.
— Hi! hi! hi! quel amant bizarre!

— Bizarre, je ne sais. Amant
Irréprochable, assurément.
Si vous voulez, mourons ensemble?

— Monsieur, vous raillez mieux encor
Que vous n'aimez, et parlez d'or;
Mais taisons-nous, si bon vous semble! »

Si bien que ce soir-là Tircis
Et Dorimène, à deux assis
Non loin de deux sylvains hilares,

Eurent l'inexpiable tort
D'ajourner une exquise mort.
Hi! hi! hi! les amants bizarres!

COLOMBINE

Léandre le sot,
Pierrot qui d'un saut
    De puce
Franchit le buisson,
Cassandre sous son
    Capuce,

Arlequin aussi,
Cet aigrefin si
    Fantasque
Aux costumes fous,
Ses yeux luisants sous
    Son masque,

— Do, mi, sol, mi, fa, —
Tout ce monde va,
  Rit, chante
Et danse devant
Une belle enfant
  Méchante

Dont les yeux pervers
Comme les yeux verts
  Des chattes
Gardent ses appas
Et disent : « A bas
  Les pattes! »

— Eux ils vont toujours! —
Fatidique cours
  Des astres,
Oh! dis-moi vers quels
Mornes ou cruels
  Désastres

L'implacable enfant,
Preste et relevant
      Ses jupes,
La rose au chapeau,
Conduit son troupeau
      De dupes!

L'AMOUR PAR TERRE

Le vent de l'autre nuit a jeté bas l'Amour
Qui, dans le coin le plus mystérieux du parc,
Souriait en bandant malignement son arc,
Et dont l'aspect nous fit tant songer tout un jour!

Le vent de l'autre nuit l'a jeté bas! Le marbre
Au souffle du matin tournoie, épars. C'est triste
De voir le piédestal, où le nom de l'artiste
Se lit péniblement parmi l'ombre d'un arbre.

Oh! c'est triste de voir debout le piédestal
Tout seul! et des pensers mélancoliques vont
Et viennent dans mon rêve où le chagrin profond
Evoque un avenir solitaire et fatal.

Oh! c'est triste! — Et toi-même, est-ce pas? es touchée
D'un si dolent tableau, bien que ton œil frivole
S'amuse au papillon de pourpre et d'or qui vole
Au-dessus des débris dont l'allée est jonchée.

EN SOURDINE

Calmes dans le demi-jour
Que les branches hautes font,
Pénétrons bien notre amour
De ce silence profond.

Fondons nos âmes, nos cœurs
Et nos sens extasiés,
Parmi les vagues langueurs
Des pins et des arbousiers.

Ferme tes yeux à demi,
Croise tes bras sur ton sein,
Et de ton cœur endormi
Chasse à jamais tout dessein.

Laissons-nous persuader
Au souffle berceur et doux
Qui vient à tes pieds rider
Les ondes de gazon roux.

Et quand, solennel, le soir
Des chênes noirs tombera,
Voix de notre désespoir,
Le rossignol chantera.

COLLOQUE SENTIMENTAL

Dans le vieux parc solitaire et glacé
Deux formes ont tout à l'heure passé.

Leurs yeux sont morts et leurs lèvres sont molles,
Et l'on entend à peine leurs paroles.

Dans le vieux parc solitaire et glacé
Deux spectres ont évoqué le passé.

— Te souvient-il de notre extase ancienne?
— Pourquoi voulez-vous donc qu'il m'en souvienne?

— Ton cœur bat-il toujours à mon seul nom?
Toujours vois-tu mon âme en rêve? — Non.

— Ah! les beaux jours de bonheur indicible
Où nous joignions nos bouches! — C'est possible.

— Qu'il était bleu, le ciel, et grand, l'espoir!
— L'espoir a fui, vaincu, vers le ciel noir.

Tels ils marchaient dans les avoines folles,
Et la nuit seule entendit leurs paroles.

NOTES

POÈMES SATURNIENS

C'est un jeune homme de vingt-deux ans qui, au début de 1866, prépare un recueil qu'il songe d'abord à intituler *Poèmes et Sonnets*. Devenu les *Poèmes saturniens*, l'ouvrage, publié à compte d'auteur (il en sera ainsi de tous les livres de Verlaine jusqu'à *Jadis et Naguère*) et tiré à 491 exemplaires, paraît chez Lemerre, qui fait déjà figure d'éditeur quasi officiel des parnassiens, un peu avant le 17 novembre 1866. Le mince volume passe inaperçu et, vingt ans plus tard, le modeste tirage ne sera pas encore épuisé. Seul, Mallarmé saura reconnaître la naissance d'un « métal vierge et neuf », le rejet des « favorites usées » qui règnent partout encore dans la poésie contemporaine. L'édition a été financée par la cousine de Verlaine, Elisa Moncomble, dont la mort prématurée affectera profondément le poète. Jamais il n'oubliera cette cousine tendrement aimée et sans nul doute admirative : on n'est pas pour autant convaincu par une thèse récente qui veut voir en elle l'inspiratrice de *Melancholia*. C'est bien de l'eau la plus profonde du songe qu'émerge la femme incertaine de *Mon rêve familier*, non de l'anecdote biographique.

En fait, nous ne savons à peu près rien de la genèse des *Poèmes saturniens*. On hésite, sauf pour quelques pièces peut-être, comme *Nocturne parisien*, à croire que la quasi-totalité de ces poèmes étaient écrits dès les années de lycée, certains

dès la troisième, malgré le témoignage de Lepelletier et celui
de Verlaine lui-même. *Monsieur Prud'homme* avait paru dès
1863 dans la *Revue du Progrès* de Louis-Xavier de Ricard;
Dans les Bois et *Nevermore* dans *L'Art* en 1865; *Nuit du
Walpurgis classique* et *Grotesques* dans la *Revue du XIXe
Siècle;* sept autres poèmes dans le *Parnasse contemporain.*
Nous n'en savons guère plus.

Il faut dissiper un malentendu. Malgré les jeux d'écriture
du *Prologue,* malgré l'*Epilogue,* malgré *César Borgia* ou *La
mort de Philippe II,* malgré certaines professions de foi de
Verlaine lui-même, les *Poèmes saturniens* ne se rattachent
nullement à l'art du Parnasse. Si, comme dans toute première
œuvre, des influences sont ici et là reconnaissables, il convient
de douter de celle de Leconte de Lisle : celui-ci est trop
ouvertement pastiché pour n'être pas du même coup raillé en
secret. Le ton d'un vers comme : « Est-elle en marbre, ou non,
la Vénus de Milo? » ne peut tromper. Et il faut croire, avec
Octave Nadal, que quelque opportunisme littéraire a décidé
de l'introduction dans les *Poèmes saturniens* de décalques
parnassiens résolument appuyés.

Avouée, et déjà presque partout transmuée en un art pro-
prement verlainien, est en revanche l'influence de Baudelaire.
Dans un considérable article publié dans *L'Art* en novembre
et décembre 1865, Verlaine, en cernant la modernité de Baudelaire, tente d'approcher et de définir à partir d'elle sa
propre poétique. La poésie y apparaît comme n'ayant
« d'autre but qu'elle-même », « analogie et métaphore »,
« excitation à l'âme » indépendante de la passion, de
« l'ivresse du cœur », de la vérité, de la raison, maîtrise et
« impeccabilité de l'expression ». C'est vers la mélodie
continue que, dès *Melancholia* et surtout les *Paysages tristes,*
s'oriente l'art verlainien : ce souffle mélodique, ce balbutie-

ment d'une âme effarée, envahie, traversée par le double cou-
rant de la sensation et de la rêverie, ne se découvrent pas
moins, dans *Soleils couchants, Crépuscule du soir mystique*
ou *Promenade sentimentale,* à partir des modèles baudelai-
riens de composition harmonique, à quoi Verlaine va bientôt
renoncer tout à fait, mais qui restent encore ici lisibles.

Sensation et rêverie, dans *Mon rêve familier,* dans *Paysages
tristes,* et, à moindre degré, dans *Nevermore, Après trois
ans,* Verlaine, dès les *Poèmes saturniens,* a déjà mis la main
sur l'essentiel de ses secrets et de ses pièges. L'anecdotique,
la récitation sentimentale se laissent à peine reconnaître dans
Après trois ans ou le premier *Nevermore.* Congé est donné à
la part intellectuelle de l'être : ces confins impersonnels sur
quoi débouchera un jour l'art des *Romances sans paroles*
sont, dès ce moment, plus que pressentis. Paysages d'Artois
ces étangs, ces saulaies, ces nénuphars dans des eaux blêmes?
C'est l'âme ici qui se rêve; à demi bue déjà, c'est en elle
que s'abattent, et non sur les branches d'aucun arbre, ces
vols criards d'oiseaux en émoi, feuilles, rafales, souvenirs. Et,
dans *Nuit du Walpurgis classique* ou *Chanson d'Automne,*
la rêverie verlainienne a déjà aussi ce caractère effaré, panique des poèmes essentiels des *Fêtes galantes;* comme aspirée
alors par l'absence et la mort.

La part du songe, et, de ce songe, la face blême, bientôt
livide (qu'on se rappelle la pièce finale des *Fêtes galantes*),
c'est là ce qu'il faut assurément retenir du double *Prologue*
des *Poèmes saturniens.* Blême : c'est là l'adjectif qui revient
le plus souvent dans les poèmes de cette époque. Blême le
front du poète, blême l'eau où il se mire, absent-présent, en
allé. L'exil au monde, le divorce irréparable entre action et
rêve ne sont pas, dans le *Prologue,* vainement proclamés,
non plus que, dans la pièce liminaire, l'influence maligne de

Saturne, la vocation d'une imagination « inquiète et débile »
pour les « désastres » du « mystère nocturne. »

Dans cette perspective, des poèmes comme *Monsieur Prud'*
homme, Jésuitisme ou *Une grande dame* peuvent surprendre.
Il n'est pourtant que de les rapprocher de pièces de ces
mêmes années, et singulièrement de l'*Enterrement*. L'intention satirique, ici, n'est pas douteuse. Elle s'exprime avec
violence. Mais cette fureur irrécusable use des formes mortes
dans quoi se coulent à l'aise les récitations d'un Coppée ou
d'un Mérat. C'est qu'il s'agit précisément de dénoncer à la
fois ces formes exsangues et les conventions hypocrites qu'elles
reflètent, l'imbécile satisfaction d'une société vivant de simu-
lacres. Rimbaud s'en souviendra.

LES SAGES D'AUTREFOIS...

Verlaine s'est certainement souvenu de Baudelaire, qui, dans
son *Epigraphe pour un livre condamné* (*Parnasse contemporain*,
1866) qualifie *Les Fleurs du Mal* de « livre saturnien, orgiaque
et mélancolique ».

PROLOGUE

On peut penser, avec Octave Nadal, que Rimbaud se souviendra
très précisément de ce *Prologue* dans ce Credo qu'est *Soleil et Chair*
et dans ses lettres à Georges Izambard et à Paul Demeny du 13 et
du 15 mai 1871, où il démarque le vers : *L'Action qu'autrefois*
réglait le chant des lyres : « En Grèce, ai-je dit, vers et lyres
rythment l'action. »

MELANCHOLIA

Le dédicataire, Ernest Boutier, poète et violoniste amateur, avait introduit Verlaine chez l'éditeur Lemerre. — Le titre de ce cycle est peut-être inspiré par le célèbre *Melancholia* d'Albert Dürer, dont Verlaine possédait une eau-forte.

APRÈS TROIS ANS

Suivant J. H. Bornecque, le petit jardin serait celui de Lécluse, vu en 1862 et retrouvé en 1865. La cousine Elisa avait épousé en 1861 un M. Dujardin, propriétaire d'une sucrerie à Lécluse (Pas-de-Calais). Elle mourut en février 1867. C'est elle que J. H. Bornecque a voulu reconnaître dans la « sœur aînée » de *Vœu*, dans la femme aimée de *Nevermore*.

L'ANGOISSE

Cette angoisse ne peut se réduire à un thème littéraire, et l'on ne saurait la prendre à la légère. On la retrouve, pareillement *dite*, décrite, dans *Dans les bois* par exemple, et, modulée cette fois, accédant à la création poétique, dans la plupart des pièces de *Melancholia* et des *Paysages tristes*. C'est elle qui s'exprime dès la pièce liminaire. On ne peut douter, à cette époque, d'un véritable affolement panique de Verlaine devant lui-même. Cet effroi ne sera pas étranger à la tentative de fixation — ou d'exorcisme — dont témoigne *La Bonne Chanson*. Mais non plus peut-être à la volonté proclamée à l'époque des *Poèmes Saturniens*, et si contraire au génie verlainien, d' « impassibilité ».

EFFET DE NUIT

Verlaine admirait le *Gaspard de la Nuit* d'Aloysius Bertrand. On peut penser qu'il s'en est souvenu ici.

LE ROSSIGNOL

Verlaine reprendra le thème du rossignol dans la dernière ariette des *Romances sans paroles*.

CAPRICES

Le dédicataire, Henry Winter, est un poète obscur qui collabora au premier *Parnasse contemporain*.

UNE GRANDE DAME

Lynce : il semble que Verlaine ait forgé ce mot en féminisant le mot *lynx*, et peut-être aussi en se souvenant du nom de Lyncée, pilote de la nef *Argo*, qui avait la vue perçante que l'on attribue au lynx.

MONSIEUR PRUDHOMME

Rimbaud se souviendra du second vers dans la 3ᵉ partie de *Roman : Sous l'ombre du faux col effrayant de son père...*

ÇAVITRI

Verlaine, lycéen, lisait le Ramayana et le Mahabharatta et aimait à se plonger dans la mythologie hindoue. — L'intention humoristique de ce pastiche n'est guère récusable.

IL BACIO

Titre vraisemblablement inspiré par une valse de Luigi Arditi (1860) alors très à la mode et qui fut un des grands succès d'Adelina Patti.

NOCTURNE PARISIEN

Cette pièce, qu'aima Jules de Goncourt, est, si l'on en croit Lepelletier, condisciple, puis ami et biographe de Verlaine, la plus ancienne de celles de ses œuvres d'adolescent que le poète conserva dans les *Poèmes Saturniens*.

MARCO

Dans toutes les éditions, le titre du poème appelle cette note de Verlaine : « L'auteur prévient que le rythme et le dessin de cette ritournelle sont empruntés à un poème faisant partie du recueil de M. J. T. de Saint-Germain : *Les Roses de Noël* (*Mignon*). Il a cru intéressant d'exploiter au profit d'un tout autre ordre d'idées une forme lyrique un peu naïve peut-être, mais assez harmonieuse toutefois dans sa maladresse même, et qui n'a point trop mal réussi, ce semble, à son inventeur, poète aimable. »

FÊTES GALANTES

Sur la genèse, la composition des *Fêtes galantes*, nous n'en savons guère plus que sur celles des *Poèmes Saturniens*. Les premiers poèmes du futur recueil à être publiés en revue y paraissent presque aussitôt après la sortie, chez Lemerre, des *Poèmes Saturniens* : *La Gazette rimée* donne *Clair de Lune* et, sous le titre caractéristique de *Trumeau*, *Mandoline*, dès le 20 février 1867. Six *Nouvelles Fêtes galantes* paraissent dans *l'Artiste* le 1ᵉʳ juillet 1868 : *A la Promenade*. *Dans la grotte*, *Les Ingénus*, *A Clymène*, *En sourdine*, *Colloque sentimental*. En mars 1869, la même revue publie *Cortège* et *L'Amour par terre*, sous le titre : *Poésie*. A ce moment, l'ouvrage était déjà achevé d'imprimer (20 février 1869). Tiré à 350 exemplaires, il paraît chez Lemerre encore, et encore à compte d'auteur. Malgré un article élogieux de Banville dans *Le National* du 19 avril, un billet emphatique et vague de Hugo le 16, les *Fêtes galantes* passeront aussi inaperçues que les *Poèmes Saturniens*. Un collégien les trouvera pourtant l'année suivante « adorables » : Rimbaud.

On a trouvé à ces vingt-deux brefs poèmes des sources innombrables. Comme toutes les « sources », les plus probables sont accidentelles, insignifiantes; elles ne sauraient rendre compte en tout cas de ce vertige qui entraîne des couples fantomatiques vers leur dissolution, vers une absence promise et secrètement courtisée, de ce clair de lune spectral qui les baigne, qui à la fois les révèle et les annule, de cette âme en

fuite qui, comme eux, « tremble et s'étonne. » Ce paysage
incertain, et lui-même comme en fuite, malgré les jets d'eau,
les quinconces, les boulingrins, est et n'est pas dans Watteau,
dans Lancret ou dans Fragonard : élu par l'âme en rêverie,
il est son propre songe et son propre affleurement. Malgré la
trompeuse localisation, paysage hors du temps et, à la fois,
étendu à différents étages du temps et de l'espace : la « modernité » du motif, chère aux peintres impressionnistes, est
comme secrètement présente sous ce XVIIIe siècle de fard et
de rêve; reflet, renvoi, allusion, ces déjeuners sur l'herbe, ces
groupes joyeux ou libertins, ces couples qui tournoient et se
défont, réfléchissent en démarrant d'elle une réalité in-
nommée : bals de bord de Seine, feuillages des banlieues,
guinguettes, canotiers.

A peine reconnu, ce réalisme sous-jacent, appris et loué
dans le Coppée des *Intimités,* est frappé de la même irréalité
qui frappe aussi les parcs, les pelouses, les marches, les allées,
rêvés plutôt que découverts dans Watteau, dans Pater, dans
Les Peintres des Fêtes Galantes de Charles Blanc (1864), dans
L'Art au XVIIIe *siècle* des Goncourt (publié en fascicules chez
Dentu à partir de 1859) ou les *Pièces choisies composées par
A. Watteau et gravées par W. Marks* (1850). La même dérive,
le même affolement grandissant entraînent la foule hagarde
ou sautillante des personnages de la Commedia dell'Arte,
Pierrot, Cassandre, Arlequin, Colombine, qui ne doivent pas
plus désormais aux *Folies nouvelles* de Banville, à Gautier, à
Hugo, qu'aux *Masques et Bouffons* de Maurice Sand (1859)
ou aux articles de la *Revue des Deux mondes* de décembre
1859.

Art de divertissement? Comment le croire? Partout, c'est
la dissonance, la fêlure. Dès le *Clair de Lune* liminaire, masques et bergamasques voudraient en vain chanter « l'amour

vainqueur et la vie opportune » : ils ne le peuvent que sur le
« mode mineur » : soupir ou souffle exténué, ce mode est
celui de l'œuvre entière. Les Chloris et les Eglé, les Tircis et
les Aminte, Damis et Clitandre, les cruelles Clymène, tous
ces personnages conventionnels de la Préciosité, Scaramouche
et Pulcinella, Pierrot et Cassandre, Arlequins pirouettants,
les donneurs de sérénades et les belles écouteuses ont tous ce
même masque que leur plâtre au visage un clair de lune
blafard. Le côté vif, léger, libertin du XVIIIe siècle, son mari-
vaudage à fleur de peau, son goût d'une sensualité qui se veut
sans prolongements, accentuent encore une secrète, une inegué-
rissable crispation. En vain, dans *En patinant,* « les cinq sens
se mettent dans la fête » : les âmes surprises se sentent brusquement « investies ». Aucune jamais ne peut croire à son
bonheur. Un rossignol chante, et il a la voix du désespoir.
Préfigurant la brisure irréparable de l'âme qui les chante
et à même laquelle ils frissonnent et meurent, les jets d'eau
sanglotent, le ciel pâlit et s'exténue, l'ombre des arbres trop
grêles meurt à son tour; les personnages les plus fous ne sont
plus bientôt que de « molles ombres bleues »; en eux déjà
un secret pressentiment s'effare, qui les détache, les rend prêts
à appareiller vers un vague, un blême, un mouvant ailleurs.
Les « propos fades » échangés ne sauraient interrompre ni
ralentir ce même « sabbat rythmique » et lunaire qui, dans
Nuit du Walpurgis classique déjà, entraînait, menaçait de
« fébriles fantômes ». C'est la mort, finalement, que suggèrent
ou proposent ces « propos fades ». Partout se découvre la
face périlleuse du songe. Ce clair de lune qui blanchit et défi-
gure êtres et choses n'est pas d'ici. Le même vent mauvais qui,
dans *Chanson d'automne,* roulait la feuille morte titubante de
l'âme, jette soudain bas l'amour; comme feuilles mortes, « des
pensers mélancoliques vont et viennent » dans l'espace vide

du rêve; un « chagrin profond » s'avoue, qui ne sait plus évoquer qu'un « avenir solitaire et fatal » : cet avenir du dénuement et de la dépossession, cette nuit creuse et blême où, dans *Colloque sentimental,* basculent le passé, les souvenirs, l'espoir, les songes, et, démasqués, décolorés, désincarnés, réduits enfin à ce que n'avaient jamais cessé d'être les Indolents, les Ingénus ou les « amants bizarres », les derniers personnages de la ronde évanouie. C'est dans la cendre et l'absence que s'achève la fête; ce tournoiement dans un monde d'apparences déjà bu et dissous par le demi-jour des branches ou la clarté ambiguë de la lune, ce sont bien des spectres aux yeux morts et aux lèvres molles qu'il entraînait ainsi. Tourbillon, effroi, soudain et définitif évanouissement, c'est là, si l'on y prend garde, le mouvement même d'une danse macabre, et la *Nuit du Walpurgis classique* des *Poèmes Saturniens* n'était pas non plus autre chose. Ce profond motif, cet aspect panique de la rêverie verlainienne, pas un instant le fard, le masque, les « propos fades » échangés ou leur cruelle ironie n'avaient réussi à nous les dissimuler.

CLAIR DE LUNE

Bergamasques : Comme le Shakespeare du *Songe d'une nuit d'été,* Verlaine applique le mot *bergamasque* à une personne. Suivant Littré (1863), il s'agit d'un « terme de musique, danse et air de danse au XVIII⁰ siècle (étym. : Bergame) » Mais *bergamasque* est normalement un adjectif qui signifie simplement : de Bergame. Verlaine emploie ce mot comme nom dans le sens de danseur ou de musicien, ou plutôt encore il en fait une sorte de synonyme de masque.

SUR L'HERBE

On a pu voir dans ce poème un souvenir de *l'Ile enchantée* de Watteau, tableau évoqué par les Goncourt dans leur ouvrage sur *l'Art au* XVIIIᵉ *siècle :* « Au bord d'une eau morte et rayonnante et se perdant sous les arbres transpercés d'un soleil couchant, des hommes et des femmes sont assis sur l'herbe. »

DANS LA GROTTE

Rimbaud cite le 3ᵉ vers de ce poème dans une lettre à Georges Izambard du 25 août 1870 : « J'ai les *Fêtes galantes* de Paul Verlaine;... c'est fort bizarre, très drôle, mais vraiment c'est adorable. Parfois, de fortes licences, ainsi : *Et la tigresse épou-vantable d'Hyrcanie* est un vers de ce volume. » — L'Hyrcanie, contrée de l'ancienne Perse, au sud et au sud-est de la mer Caspienne, que l'on appelait aussi mer Hyrcanienne, était célèbre par ses tigres et par la rudesse de ses habitants.

LES COQUILLAGES

Hugo avait goûté ce poème, et particulièrement le dernier vers, lequel se souvient peut-être de Mallarmé (*Une négresse par le démon secouée...*)

A CLYMÈNE

Transposition précieuse des correspondances baudelairiennes.

LETTRE

Pastiche évident de la poésie précieuse, où se mêlent les souvenirs de Théophile (*Les Désespoirs amoureux*) et de Gautier (*Perplexité*).

J. B.

TABLE DES MATIÈRES

POÈMES SATURNIENS

PAYSAGES TRISTES

CAPRICES

EPILOGUE

FÊTES GALANTES

NOTES

BRODARD ET TAUPIN — IMPRIMEUR - RELIEUR
Paris-Coulommiers. — France.
05.476-VI-5-0500 - Dépôt légal n° 4350, 2ᵉ trimestre 1965.
LE LIVRE DE POCHE - 4, rue de Galliéra, Paris.